wat moet ik aan? 2

voor elke gelegenheid

trinny woodall &
susannah constantine

wat moet ik aan?

2

voor elke gelegenheid

trinny woodall &
susannah constantine

vertaald door mechtild claessens

foto's van robin matthews

Voor Sten en Johnnie voor hun voortdurende liefde en steun

wat moet ik aan?

Eerste uitgave in 2003 in het Verenigd Koninkrijk door Weidenfeld & Nicholson

Een imprint van The Orion Publishing Group
Wellington House

Fotografie: Robin Matthews

Director vormgeving: David Rowley

Director redactie: Susan Haynes

Vormgeving origineel gebonden boek: Clive Hayball en Austin Taylor

Vormgeving omslag en herindeling: D.R. Ink, info@d-r-ink.com

ISBN 90 6305 249 9/NUR 452

inhoud

In **Wat moet ik aan? deel 1** gaven we regels voor het aanpassen van de kleding aan **de meest voorkomende lichamelijke onvolkomenheden**. Dit manipuleren van de naakte waarheid hielp al heel wat probleempunten verdoezelen. Je zou denken dat er na zo'n duidelijk omschreven, simpel te volgen aanpak geen wijze woorden meer nodig zouden zijn. Maar hoewel broeken met taps toelopende pijpen en blote spekarmen bijna zijn uitgebannen, is er nog helemaal geen aandacht besteed aan het aspect '**wat moet ik wanneer aan?**' Je kunt zware borsten keurig in diepe decolletés gehuld en zadeltasheupen zó vermomd hebben dat ze praktisch niet meer bestaan, maar deze misleiding wordt totaal tenietgedaan als je **niet de kleren draagt die bij een bepaalde gelegenheid passen**. Helaas valt er niet aan te ontkomen dat we tegenwoordig **naar ons uiterlijk worden beoordeeld**. Er zijn sterke, onafhankelijke vrouwen die zeggen dat het ze niets kan schelen wat anderen vinden, maar wij weten dat ze liegen dat ze barsten. Welk normaal denkend mens zou op een bruiloft liever voor schut lopen dan de stralende gaste zijn die de bruid wel eens **in de schaduw zou kunnen stellen**? En hoewel je het misschien niet graag zou toegeven, dat kunststukje zou je meer oppeppen dan Prozac.
Een vrouw, van welke leeftijd dan ook, krijgt te maken met een aantal mijlpalen, speciale gebeurtenissen en gelegenheden waarvoor de kleding moet worden uitgekiend. In **Wat moet ik aan? Deel 2** willen we de onwetenden leren hoe ze zich voor alle momenten

die het leven veranderen moeten kleden. Het boek toont hoe de juiste kleding je kan helpen dat te krijgen wat je wilt. Het zal degenen die zich te veel om burenpraat bekommeren oefenen in het **losbreken uit stereotypen**. Het zal degenen zonder zelfvertrouwen aansporen door te zetten om zó zelfverzekerd te worden dat ze die baan krijgen, die kerel aan de haak slaan of één van de gestroomlijnde mondaine vrouwen op het Zuid-Spaanse strand worden. Het zal meiden in staat stellen om zelf, zonder hulp van concurrentes, **beslissingen over hun kleding te nemen**, en het zal afspraakjes voor alleenstaanden opwindend in plaats van kwellend maken.

Het boek lijkt **wonderen** te bieden en in zekere zin doet het dat ook. Bijna alle vrouwen weten hoe vreselijk het is om je te realiseren dat je de verkeerde kleren aanhebt. Iets zegt ons wel dat we ons heel gelukkig voelen als we gepast, **nochtans met persoonlijke flair**, gekleed zijn, maar velen van ons weten gewoon niet hoe dat moet.

Besef je dat het van top tot teen gehuld gaan in het merk van één designer, bijpassende tas en schoenen incluis, er misschien wel gecoördineerd uitziet, maar van geen enkele **fantasie** getuigt? Ben je ingewijd in het geheim om in je bikini niet op een kreeft te lijken, al ben je verbrand als een kreeft? Weet je hoe je een toekomstige baas voor je kan winnen of werkkleding van overdag **snel kan veranderen** in glamoureuze avondkleding? Vind je het leuk om op een feest te opzichtig of te eenvoudig gekleed te zijn en choqueer je graag de priester bij een kerkelijk huwelijk?

Hier gaat het erom meer over de **gelegenheid** dan over jezelf na te denken, voordat je besluit hoe je er wilt uitzien. Als je dat doet, zul je je niet zo gauw belachelijk maken door op het congres voor dierenrechten in een lange nertsmantel te verschijnen. Het is **lomp en onnadenkend** om ongekamd en sjofel te komen aanzetten wanneer je gastvrouw zich veel moeite heeft getroost. Bedenk eens hoe afschuwelijk je het zou vinden als al je gasten met sportschoenen en jeans in je feesttent zouden rondlopen, terwijl je maanden en duizenden euro's had besteed aan het creëren van een smaakvol wonderland.

Even belangrijk als de gebeurtenis is dat **wat je daarbij wilt bereiken**. Denk nou maar niet dat je ridder jou wil veroveren wanneer je in een fluwelen cape bent gehuld, of dat een nieuwe werkgever paranormaal begaafd is en door het pantser van ontbrekende knopen en bordeelsluipers heen ziet dat je geniaal bent. Je moet je ware **persoonlijkheid** tonen, maar rekening houden met de aard van de gebeurtenis en je ervan bewust zijn hoe anderen je kunnen zien. Als je bijvoorbeeld een levenslustig type bent, is het crimineel je levenslust te doven door je té zeer aan te passen. Je eenvormig kleden is de snelste manier om alle persoonlijkheid te elimineren, terwijl je door het **nemen van enige risico's** het snelst zult opvallen.

De moeilijkste kledingdilemma's worden in het boek getoond door dat wat de doorsneevrouw zou dragen te plaatsen tegenover de zelfverzekerde stijl van de vrouw met eigen smaak. Op de linker-

pagina's zie je de stereotiepe modedracht van vrouwen die in een levensstijl zijn vastgeroest en geen tijd voor kleren hebben. Deze van een vette 'X' voorziene outfits zijn **non-descript en hebben geen impact**. Sommige ervan lijken misschien elegant of zelfs vrij aardig. Tja, dat zou kunnen... voor een andere gelegenheid, bij je moeder of in voorbije tijden.
De outfits op de rechterpagina's waar, je raadt het al, een prachtige 'V' bij staat, dienen te worden gebruikt als **standaardoplossingen**. Bevallen ze je en lijken jouw kleren en figuur op de onze, doe er dan je voordeel mee. Vind je evenwel dat wij er bezopen uitzien, pas ze dan aan je eigen persoonlijkheid, lichaam en stijl aan. We hopen je veeleer met het **cachet** van de outfits dan met de precieze samenstelling ervan te helpen. Je kunt door middel van **accessoires** afwisseling in het geheel aanbrengen. Je moet ernaar streven als een sjieke vrouw voor de dag te komen, niet als een kerstboom.
Elk hoofdstuk gaat over één gelegenheid en is onderverdeeld in de thema's: **Elegant, Casual en Trendy**. Tenzij je een oude tang met heimwee naar de tienertijd bent of een schaapje dat te vroeg geraffineerd wil zijn, nemen we aan dat de jongere lezeressen kiezen voor de **trendy** looks en oudere meiden voor de **elegante**. Degenen die hun lichaam kennen en weten wat hen staat, zullen vlug inzien dat elk voorbeeld aan **verschillende leeftijden, maten en budgetten** is aan te passen. Casual kleding kan door iedereen worden gedragen en de outfits zijn aan alle leeftijden aan te passen.

inleiding

'**Wat het over je zegt**' onder elke foto is iets als een onpartijdige vriendin die je toefluistert wat je kleren werkelijk over je zeggen. Het vertelt je dat kleren doeltreffender kunnen zijn dan je zou denken – zowel in **positieve** als in **negatieve** zin.
Als je denkt dat we van het kleden voor speciale gelegenheden een wetenschap hebben gemaakt die een jarenlange studie vereist, heb je het helemaal mis. Natuurlijk kost het tijd om er goed uit te zien, maar dat betreft vooral de **voorbereiding**. Heb je de jurk, wacht dan niet tot het laatste moment om de schoenen erbij te vinden. Kijk naar je kleren en bedenk welke exemplaren het makkelijkst zijn **aan te passen** met een simpele wijziging van accessoires. Het beste jasje bijvoorbeeld is dat waar de meiden je om benijden wanneer je het met jeans en een T-shirt draagt, maar wat de jongens opgeilt wanneer je het T-shirt weglaat en de jeans vervangt door een kokerrok. Aan een bij jouw lichaam passende garderobe kun je dingen toevoegen en veranderen. Als je dat eenmaal weet en ook van dit boek iets opsteekt, kan het leven met kleren probleemloos en frivool worden.
In **Wat moet ik aan? deel 1** wilden we korte metten maken met de vraag: 'Heb ik hier een dikke kont in?'
In **deel 2** willen we graag een einde maken aan de paniek: 'Ik heb niets om aan te trekken!' We begrijpen maar al te goed wat een kwelling het is er op je best te willen uitzien, terwijl de kast leeg is of je allerverleidelijkste jurk op een dinsdag opeens geen effect heeft. Juist wanneer we de meeste haast hebben of er spectaculair moeten uitzien,

laten onze kleren ons in de steek.
Dan wil je van je **beste vriendin** goede raad over je kleding krijgen. Maar nét wanneer je haar nodig hebt, is ze er misschien niet. Misschien wil ze je diezelfde avond wel overtreffen. Wij zijn veel betrouwbaarder. Beschouw ons dus maar als je beste vriendinnen. We staren je dan wel alleen maar vanaf deze bladzijden aan, maar onze raad is tenminste objectief, altijd bij de hand en heel wat goedkoper dan de stormloop op een nieuwe outfit bij elke uitnodiging in je brievenbus.
De hier volgende informatie is van wezenlijk belang voor hen die zich **beter willen voelen over zichzelf**. We weten hoe de hele levensopvatting van een vrouw kan veranderen als ze er goed uitziet. Als je er stijlvol uitziet, presteer je beter. Als je er hip uitziet, heb je meer plezier, en als je je sexy voelt, is de seks beter! Dus, meiden, **zie er te gek uit** en krijg die man, die baan, die promotie. Win de race en overtref de gastvrouw op haar eigen feest! Maar vooral: amuseer je.

Trin x

Susannah x

het sollicitatiegesprek Naar een sollicitatiegesprek gaan is, ongeacht je leeftijd of deskundigheid, iets afschuwelijks. Even belangrijk als je cv, of zelfs belangrijker, is je verschijning. Als je door die deur komt, zullen de ondervragers letten op vuile, afgebeten nagels, gepoetste schoenen, kleren met vlekken, een zelfverzekerde glimlach. Ze zullen onder de indruk zijn van een positieve instelling en stellige antwoorden op lastige vragen. Als je er afgrijselijk uitziet, zul je je ook zo voelen en optreden als een wezen dat het niet waard is te leven, laat staan plaats te nemen achter het exclusieve bureau waar het 'geweldige meisje dat we hiervóór hadden' zat. Helaas zijn de vereisten voor de kleding bij zo'n gesprek niet voor iedereen hetzelfde. Je leeftijd, ervaring en de baan waar je op uit bent, moeten duidelijk tot uiting komen in de kleren die je draagt. Een vrouw die herintreedt wanneer haar kinderen het huis uit zijn, zal waarschijnlijk onzekerder zijn dan een fris, net afgestudeerd meisje, en moet dus een kracht uitstralen die ze misschien niet voelt. De studente wil te kennen geven dat ze enthousiast, leergierig is en zich graag wil inzetten. Dit kan toch niet met kleren worden gedaan? O jawel. Omdat je bij het sollicitatiegesprek bent wat je aanhebt.

het sollicitatie-gesprek

1

eerste baan

Het pakje is fantasieloos en heeft geen flair

De rok is te kort

De bloes is mooi maar valt in het niet door het zwart

Te veel make-up

Het haar is te truttig

De tas is in verhouding met de outfit veel te groot

wat het over je zegt

'Ik laat mijn benen zien om de aandacht af te leiden van een gebrek aan hersenen en ik zal elke dag te laat komen, omdat ik te lang met mijn haar bezig ben. Ik wil best overuren maken ;) dus ik weet dat jullie me de baan geven.'

eerste baan

Alles ziet er schoon en fris uit

Een broekpak is persoonlijker dan een mantelpakje

De accessoires zijn weliswaar subtiel, maar tonen flair en doen de vrouwelijke snit van de mannelijke krijtstreep sterker uitkomen

wat het over je zegt

'Ik heb geen poeha nodig, mijn cv spreekt voor zichzelf. Ik vorm geen bedreiging, ben zelfverzekerd en zal me goed aan beide seksen op het kantoor aanpassen. Je ziet wel dat ik met mijn tijd meega. Ik ben klaar voor een uitdaging.

eerste baan

Een combatbroek is te sjofel

Getailleerd denim jasje staat slonzig bij de gevechtsbroek

Blote buik is niet passend

Uit het hele uiterlijk spreekt vrijpostigheid en onverzorgdheid

wat het over je zegt

'Ik draag wat ik elke dag draag. Ik vind niet dat ik iets aan mijn uiterlijk hoef te veranderen, zelfs niet voor een sollicitatiegesprek. Neem me zoals ik ben of helemaal niet.'

eerste baan

Een lange jas staat verzorgder als je denim draagt

De broek is niet zo informeel als de gevechtsbroek, maar toch leuk

Sportschoenen krijgen iets respectabels onder een langere broek

wat het over je zegt

'Ik respecteer mezelf en deze baan. Ik draag graag gemakkelijke en mooie informele kleren – maar ik zal nooit als een slons naar kantoor komen.'

eerste baan

Zó bijdetijds, dat kan alleen maar een modegek zijn

Hooggehakte gouden sandalen zijn prima voor de disco maar niet voor een sollicitatiegesprek

Alles zit te strak, zodat het er hoerig uitziet

wat het over je zegt

'Ik volg de mode als een schaap dat de godganse dag glossy bladen leest en haar teennagels fuchsiapaars lakt. Ik zal hard werken – wanneer jullie kijken.'

eerste baan

Een jurk over een broek ziet er modern uit, maar toch keurig genoeg voor een sollicitatiegesprek

De geinige accessoires geven blijk van persoonlijkheid

De broek heeft de juiste lengte voor de hooggehakte schoenen met riempjes

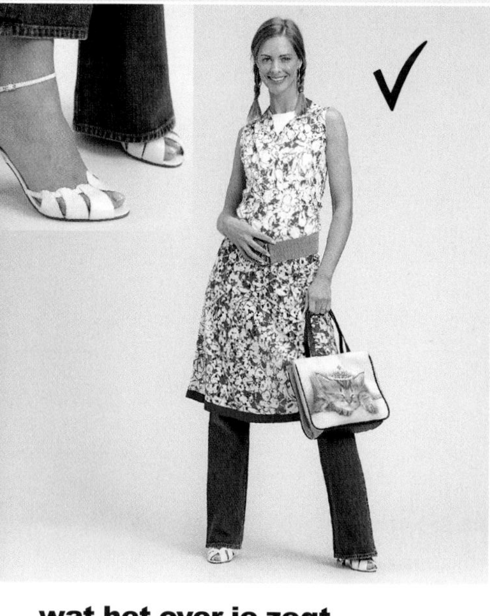

wat het over je zegt

'Ik ben creatief en heb gevoel voor humor. Ik kan mezelf prima redden. Ik koop retrokleren om geld uit te sparen, wat betekent dat ik loyaal zal zijn en hard zal werken om loonsverhoging te krijgen.'

herintreding

Het wijde rechte jasje is heel ouderwets

Modieuze accessoires passen niet bij het ouderwetse pak

Draag nooit bij elkaar passende accessoires – hieruit blijkt dat je je door de verkoper hebt laten inpalmen, die je het 'setje' liet kopen

wat het over je zegt

'Ik werk al tien jaar niet meer en toen droeg ik dit pak voor het laatst. Jullie vinden me misschien wat duf, maar kijk eens hoe hip ik ben met mijn bij elkaar passende tas en schoenen.'

herintreding

De nieuwe manier om er elegant uit te zien zonder een pak te hoeven dragen. Zowel de jas als de broek zijn gedistingeerd van snit

De accessoires tonen iemand die een perfectioniste is – in dit geval dankzij haar onberispelijke combinatie

De kleuren zijn rustig en wekken een zelfverzekerde indruk

wat het over je zegt

'De laatste tien jaar heb ik vrijaf genomen om me verder te ontplooien. Ik voel me op m'n gemak met mezelf en met anderen, en ik kan elke situatie aan. Ik ben niet wanhopig op zoek naar werk, maar wil me wel blijven ontwikkelen.'

herintreding

Broek met taps toelopende pijpen is niet flatteus en te kort voor de laarzen met zware zolen

De kledingcombinatie oogt terughoudend en doordeweeks – er is geen enkele moeite gedaan

Uit de schoudervullingen blijkt dat de top een oude vriend uit de jaren tachtig is

wat het over je zegt

'Ik ben keurig netjes, maar god! wat ben ik saai! Er valt werkelijk niet veel anders over me te vertellen dan dat ik even betrouwbaar en opwindend zal zijn als de kokosmat vóór je deur.'

herintreding

Een lang gebreid vest is een prettig alternatief voor een jasje

Een broek met wijd uitlopende pijpen is modern en heel wat flat--teuzer dan een met taps toelopende pijpen – en deze heeft de goede lengte voor de schoenen

Een getailleerde bloes doet het figuur goed uitkomen zonder opvallend te zijn

wat het over je zegt

'Inderdaad heb ik al heel lang niet meer gewerkt, maar dat was prima. Op dit moment in mijn leven kijk ik ernaar uit weer in een team te werken. Kleren zijn niet alles voor mij, omdat ik op mijn openheid vertrouw om vrienden te maken.'

herintreding

Alles aan dit uiterlijk is stijf

Het haar is streng en werd voor het laatst bij een stewardess van vlucht 001 gezien

De sjaal is een wanhopige poging het begrafeniszwart op te vrolijken

De schoenen kunnen wel functioneel en gemakkelijk zijn maar ze laten de voeten op soepborden lijken

wat het over je zegt

'Ik ben vreselijk competent en heb vaste gewoonten. Ik heb geen eigen leven, dus ik kom nooit te laat – maar ik zal alle anderen op het kantoor dodelijk vervelen.'

herintreding

Een jurk over een broek ziet er heel modern uit

Gedempte kleuren zijn warm en niet opzichtig

De tas is leuk en een knipoog naar de laatste trend

De schoenen zijn licht en flatterend

wat het over je zegt

'Ik ben van nature stijlvol en dit zal in mijn werk te zien zijn. Ik zal met iedereen kunnen opschieten en heb het in me een teamleider te worden.'

	€	€€	€€€
elegant	Oasis, Zara, Dorothy Perkins, Warehouse, Mango, Designers at Debenhams **Accessoires** Accessorize, Mikey, Office, Nine West, Zara, Freedom @ Topshop, Faith, Bertie	Jigsaw, LK Bennett, Whistles, Karen Millen, Press & Bastyan, Coast, French Connection, Reiss **Accessoires** Jigsaw, Karen Millen, Furla, Coccinelle, Pied à Terre, Butler and Wilson, Billy Bag, Russell & Bromley, LK Bennett	Prada, Helmut Lang, Gucci, Roland Mouret, Vivienne Westwood, Chloé, Louis Vuitton, Paul and Joe, Joseph, Alexander McQueen, Armani, Ralph Lauren, Calvin Klein, Mulberry, Chanel, Pringle **Accessoires** Hermès, Prada, Mulberry, Tods, Celine
casual	Warehouse, Zara, Gap, Topshop, Knickerbox, Dune, Dorothy Perkins, Oasis, Marks & Spencer, H & M, Next, Bertie **Accessoires** Gap, Accessorize	Nuala, Diesel, Miss Sixty, French Connection, Martin Kidman, Michael Stars, Bodas, Whistles, Jigsaw, LK Bennett, Thomas Pink, Hobbs **Accessoires** Niké, Puma, Whistles, Karen Millen, Jigsaw	Marc Jacobs, Marni, Brora, Juicy Couture, Chloé, Earl, Hogan, Tods, Prada, Joseph, Calvin Klein **Accessoires** J&M Davidson, Stella McCartney, Luella @ Mulberry, Hogan, Tods, Marni, Hermès
trendy	Oasis, Zara, Gap, Topshop, Knickerbox, Dune, H & M, Freedom @ Topshop, Mango, Pink Soda, Warehouse, Dorothy Perkins, Laura Ashley **Accessoires** Oasis, Faith, Accessorize, Mikey	Jigsaw, Pied à Terre, LK Bennett, French Connection, Miss Sixty, Day Birger et Mikkelsen, Diesel, Pebble, Whistles, Jigsaw, Coast, Nuala, Reiss, Uth **Accessoires** Agatha, Butler & Wilson, Russell & Bromley, Karen Millen, Whistles	Rozae Nichols, Steinberg & Tolkien, Rellik, Marni, Seven, Juicy Couture, Joie, Anya Hindmarch, Prada, Miu Miu, Ann Louise Roswald, Chloé, Etro, Missoni **Accessoires** Anya Hindmarch, J&M Davidson, Jamin Puech, Buba, Scorah Patullo, Christian Louboutin, Swarovski, Sigerson Morrison

- **Zoek op internet naar een paar elementaire gegevens over het bedrijf. Hoe belangrijk of onbelangrijk de functie ook is waar je op uit bent, als je er iets over weet blijkt dat je initiatief en belangstelling hebt**
- **Bedenk iets wat je aan de werkgever kunt vragen als jou gevraagd wordt of je vragen hebt**
- **Neem een bad in rozemarijnolie om wakker en alerter te worden**
- **Zorg ervoor dat je nagels en schoenen schoon zijn, en gebruik niet te veel make-up**
- **Doe een stinkende-ademtest met een vriendin**
- **Zet je mobieltje uit!**
- **Als de werkgever er eng uitziet, stel je hem of haar dan voor op de plee**
- **Geef een stevige handdruk en kijk de werkgever recht in de ogen**

werkkleding Wat kleren betreft is de werkplek hetzelfde als elke andere plek. Zelfs het dragen van een uniform geeft een vrouw geen vrijbrief voor fantasieloosheid. Wil je saai en op de achtergrond blijven als een onzichtbare mier, oké: blijf trouw aan banale pakken of plooirokken. Wil je echter carrière maken binnen het bedrijf, de baas verdringen, aan de macht blijven of de aandacht trekken van de knapste kantoorbink, dan is wat je aantrekt van vitaal belang. Hiermee willen we niet zeggen dat je garderobe iets voor een kostuumfilm moet worden. Overdrijven kan net zo slecht voor je zijn als precies in de rol passen goed voor je is. Je moet je kleden voor dat wat je in je baan wilt bereiken. Een uniform maakt het 's ochtends heel wat gemakkelijker te beslissen wat je moet aantrekken, maar moet toch iets persoonlijks hebben, zonder dat het de baas ergert of je collega's jaloers maakt en onder het personeel tot gegiechel leidt. Door stijlvolle accessoires onderscheid je je van de massa en voel je je een beetje bijzonder. Dat doet wonderen voor je zelfvertrouwen, een gevoel waardoor je er beter gaat uitzien en wat je werk beïnvloedt.

werk-
kleding

2

de baas

Sober, streng pak ademt iets ongenaakbaars uit

Het glad geplakte haar en hoekige jasje dragen bij tot een androgyn uiterlijk

De roklengte is alleen maar flatteus voor iemand met perfecte benen

wat het over je zegt

'Val je mij lastig, dan lig je ERUIT. Ik moet niets hebben van rivalen in de bestuurskamer of slaapkamer. Mijn carrière is mijn leven, en ik ga dus alleen maar met collega's naar bed.'

de baas

Minder scherpe lijnen terwijl toch het beeld van de 'baas' blijft bestaan

Een Kelly-bag is een elegant alternatief voor een aktetas

Stijlvolle, originele accessoires wijzen op een vrouw die tijd vrijmaakt voor de goede dingen in het leven... zoals winkelen

wat het over je zegt

'Ik heb een open oor voor de behoeften van mijn medewerkers, maar ik dwing nog altijd eerbied af. Buiten het kantoor leid ik een ander leven en daardoor ben ik op het werk ontspannener.'

de baas

Alles ziet er slonzig en kinderachtig uit

Een spijkerbroek kan eigenlijk alleen wanneer hij gedragen wordt als een op maat gemaakte broek

Laat sweaters met een muts eraan thuis of geef ze aan je jongere zusje

Het lijkt of de hond de schoenen te lijf is gegaan

wat het over je zegt

'Ik wil deel uitmaken van het team en wil dat mijn werknemers me als hun gelijke zien. Wat zij doen kan ik ook, maar heb ik de ervaring en kennis om meer te doen?'

de baas

Zelfs wanneer de baas casual is gekleed, moet zij laten zien wie de baas is, wat het jasje laat doorschemeren

De platte schoenen zijn het juiste schoeisel om de hele dag op rond te rennen

Het haar is netjes en vlot, en geeft de nonchalante outfit iets geraffineerds

wat het over je zegt

'Ik ben een vrouw van de daad en help graag een handje mee. Ik heb voeling met mijn personeel, maar ze weten waarom ik de baas ben en zullen dus nooit overwegen te ver te gaan.'

de baas

Een gewoon zwart pak kan eruitzien als een uniform

Er zijn geen details die de outfit aantrekkelijk maken

Aardig voor een baantje bij de gemeente, maar voor iets creatievers? Volgens ons niet

wat het over je zegt

'Ik ben vervelend en conservatief. God weet hoe ik het in een hippe werkomgeving heb weten te maken – en zelfs de kans heb gekregen er de baas te spelen.'

de baas

Toont stijl en zelfvertrouwen

Niet bang om iets afwijkends te dragen en op te vallen, maar omdat de kleuren neutraal zijn, ziet het er niet te opzichtig uit

De ceintuur illustreert een goede kijk op bijzondere details

wat het over je zegt

'Ik stimuleer mijn personeel en weet eigen initiatief en creativiteit zeer te waarderen, wat blijkt uit hoe ik eruitzie én uit wat ik doe.'

de leidinggevende

Een tweed pakje ziet er truttig uit, tenzij het heel goed zit

Door de zwarte accessoires ziet alles er zwaarder en goedkoper uit

Vleeskleurige kousen zouden alleen moeten worden gedragen als steunkousen of om spataderen in toom te houden

wat het over je zegt

'Ik werk hier al heel lang en weet dus waar ik het over heb. Dat wil zeggen, tot een nieuwe klant met vernieuwende ideeën komt waar ik niet naar wil luisteren.'

de leidinggevende

Zwart ziet er geweldig uit als het in zachtere stoffen wordt gedragen

Laat je figuur goed uitkomen. Het zal je zelfvertrouwen geven

Draag fijne netkousen – uiterst hip bij schoenen met open teen of laarzen

wat het over je zegt

'Ik ben elegant, pittig en weet mijn seksuele aantrekkingskracht op vakkundige wijze te gebruiken om nieuwe orders binnen te halen. Er goed uitzien helpt me mijn werk goed te doen.'

de leidinggevende

Een lang vest met een rok in dezelfde lengte maakt de romp korter

Door de lichte bloes krijgt het gezicht iets vaals

De zware ouderwetse schoenen vallen extra op door de roklengte

wat het over je zegt

'Ik ben opgebrand. Ik heb me kapotgewerkt en kan geen enthousiasme meer opbrengen voor mijn baan, zodat ik dus maar net doe alsof.'

de leidinggevende

Een nauwsluitende wollen trui met een broek ziet er ongedwongen en toch functioneel uit

Door boven en onder eenzelfde kleur te dragen wordt de romp langer

Een broek verraadt de leeftijd minder dan een rok

Hoge hakken geven het geheel een vleugje glamour

wat het over je zegt

'Franje en tierelantijntjes leiden af van het werk wat er te doen is, dat ik op een ontspannen maar vastberaden manier op me neem.'

de leidinggevende

Door de mode op de voet te volgen wek je de indruk dat je geobsedeerd bent door je uiterlijk

Te veel van het goede hier – zou je slechts één trendy artikel dragen, dan zou het opvallen

wat het over je zegt

'Ik ben een zielige modepop die leeft voor het winkelen. Ik werk alleen maar omdat ik daardoor mijn kledingverslaving kan bekostigen.'

de leidinggevende

Een fluwelen rok kan er overdag prima uitzien als je er ruige leren laarzen onder draagt

De gerimpelde snit van het bloesje doet het figuur goed uitkomen

Het bloesje werd gekocht als trendy item maar zal, dankzij het model, een klassieker worden

wat het over je zegt

'De ingewijden zullen mijn scherpe oog voor verfijndere trends waarderen. Ik heb geen kleren nodig die voor mij spreken, want daartoe ben ik zelf heel goed in staat.'

de personal assistant

Zwart en pastelkeuren doen elkaar geen goed

Lichtgekleurde lippenstift maakt elke huidkleur mat

Het feit dat de halsketting en oorringen van goud zijn, maakt ze nog niet stijlvol of interessant

wat het over je zegt

'Ik ben verlegen, dus schreeuw niet tegen me, want dan ga ik huilen. Ik kom elke dag doodsbang dat ik iets verkeerd zal doen op het werk, en ik zal dus nooit zelfstandig denken.'

de personal assistant

De kleuren zijn subtiel en gaan goed samen

Het geheel ziet er discreet, doch persoonlijk uit

De laarzen maken je langer maar belemmeren het rondrennen niet

Een geweldige ceintuur is opwindender dan een heleboel gouden sieraden

wat het over je zegt

'Ik heb flair. Ik ben wereldwijs en zelfverzekerd. Ik zal m'n baas niet proberen te overtreffen, maar ze kan altijd trots op me zijn. Als de baas weg is, run ik het kantoor zo goed dat niemand merkt dat ze er niet is.'

de personal assistant

Met een trainingsbroek neem je het woord 'casual' te letterlijk

Hoe relaxed je baan ook is, je moet altijd gewassen haren hebben

Het jasje met ritssluiting ziet eruit als sportkleding voor het weekend

Het totaalbeeld zegt: 'zondag'

wat het over je zegt

'Ik ben m'n bed uit gerold en meteen naar het werk gekomen. Ik roddel een hoop op kantoor – en af en toe werk ik een beetje. Ik ben nogal lui en mijn werk gaat bij mij niet vóór alles.'

de personal assistant

Een ribbroek in jeansmodel is een elegante manier om op kantoor jeans te dragen

Het neutrale kleurenschema maakt een modieuze en zelfverzekerde indruk

Bijpassende sportschoenen zijn gemakkelijk, praktisch, en doen het goed bij de rest van de outfit

wat het over je zegt

'Ik ben een efficiënte werker en voel me prettig in mijn baan. Ik weet van aanpakken, maar weet ook hoe ik van het leven kan genieten. Laat mij promotie maken, dan verzeker ik je dat je er geen spijt van zult hebben.'

de personal assistant

Op het werk met een blote buik pronken is totaal ongepast

Een topje kan overdag alleen maar in combinatie met platte of stevige schoenen worden gedragen

De riem gaat toch echt te ver

Naaldhakken zijn onpraktisch voor iemand die de hele dag rondrent

wat het over je zegt

'Het is te zien dat ik beschikbaar ben, en ik zal met iedereen naar bed gaan om hogerop te komen. Er is echt geen andere reden waarom ik ooit promotie zou krijgen.'

de personal assistant

De rok is in alle betere kledingzaken te krijgen en volgt een trend

Wat de hoogte en het praktische aspect betreft voldoen schoenen met sleehakken het beste op het werk

Ziet er prima uit maar niet alsof ze haar baas probeert te overschaduwen

wat het over je zegt

‘Ik ben goed op de hoogte van actuele zaken. Ik kan met een klein budget veel doen, wat goed van pas komt bij mijn werk. Ik ben jong, vol energie, en helemaal klaar voor alles wat je me maar wilt toegooien.’

	€	€€	€€€
elegant	Zara, Dorothy Perkins, Designers at Debenhams, Gap, Warehouse, Mango, Oasis, Principles **Accessoires** Designers at Debenhams, Office, Bertie, Mikey, Freedom @ Topshop, Zara	Hobbs, Karen Millen, Michael Stars, Jigsaw, Press & Bastyan, LK Bennett, Bella Freud for Jaeger, Whistles **Accessoires** Agatha, LK Bennett, Russell & Bromley, Butler and Wilson	Prada, Hermès, Gucci, Calvin Klein, Balenciaga, Chloé, Nicole Farhi, Ralph Lauren, Armani, Helmut Lang, Celine, Ann Demeulemeester, Michael Kors, Chanel **Accessoires** Erickson Beamon, Hermès, Tods, Pippa Small, Solange Azagury-Partridge, Balenciaga, Chloé
casual	Topshop, Oasis, Zara, Designers at Debenhams, Warehouse, Knickerbox, Dune, Gap **Accessoires** Designers at Debenhams, Zara	Whistles, Karen Millen, Jigsaw, French Connection, Hobbs, Calvin Klein, Bodas, Nuala **Accessoires** Whistles, Karen Millen, Furla, Coccinelle	Joseph, Ralph Lauren, Plein Sud, Chloé, CXD, Paul and Joe, Prada, Gucci, Brora, Helmut Lang **Accessoires** Hogan, Tods, Prada
trendy	Oasis, Monsoon, Zara, Warehouse, Knickerbox, Gap, H & M **Accessoires** Zara, Accessorize, Office, Dune	Whistles, Jigsaw, Karen Millen, French Connection, Coast, Reiss, Press & Bastyan **Accessoires** Whistles, Jigsaw, Karen Millen, LK Bennett	Red Hot, Jean Paul Gaultier, Missoni, Dries van Noten, Melissa Odabash, Allegra Hicks, Ann Louise Roswald **Accessoires** Stephane Kélian, Bottega Veneta, Erickson Beamon, J & M Davidson, Steinberg and Tolkien

2 winkelen werkkleding/de leidinggevende

	€	€€	€€€
elegant	H & M, Warehouse, Zara, Oasis, Topshop, Aristoc, Marks & Spencer, Dorothy Perkins, Mango, Kookai **Accessoires** Zara, Office, Oasis, Topshop, Aristoc, Freedom @ Topshop, Mikey, Accessorize	Karen Millen, Hobbs, Jigsaw, LK Bennett, Bella Freud for Jaeger, Reiss, Bodas, Calvin Klein Underwear **Accessoires** Pied à Terre, Jigsaw, LK Bennett, Karen Millen, Whistles	Vanessa Bruno, Rozae Nichols, Prada, Chloé, Dosa, Diane von Furstenberg, Vivienne Westwood, Pringle, Wolford, Jasper Conran, DKNY, Nicole Farhi, Calvin Klein, Ralph Lauren, Armani **Accessoires** Pippa Small, Zilo, Solange Azagury-Partridge, Merola, Erickson Beamon
casual	Designers at Debenhams, Oasis, Zara, Dorothy Perkins, H & M, Gap, Warehouse, Morgan, Kookai, Mango **Accessoires** Office, Dune, Faith, H & M, Designers at Debenhams, Mango	Hobbs, Jigsaw, Whistles, French Connection, LK Bennett, Karen Millen, John Smedley **Accessoires** Hobbs, Jigsaw, LK Bennett, Karen Millen	Ralph Lauren, Nicole Farhi, Joseph, Armani, Chloé, Prada, Calvin Klein, Temperley, Pringle, Gucci, Burberry, Chanel **Accessoires** Stephane Kélian, Joseph, Hermès, Prada
trendy	Zara, Oasis, Designers at Debenhams, Monsoon, Warehouse, H & M, Dorothy Perkins, Principles, Dune, Marks & Spencer, Gap Body, Knickerbox **Accessoires** Dune, Zara, Office	Jigsaw, Hobbs, Calvin Klein Underwear, Whistles, Karen Millen, Coast, Press & Bastyan **Accessoires** Russell & Bromley, Jigsaw, Karen Millen, Whistles, Hobbs	Prada, Donna Karen, Marc Jacobs, Temperley, Louis Vuitton, Chloé, Ann Louise Roswald, Boyd, Megan Park, Rozae Nichols **Accessoires** Prada, Sigerson Morrison, Marc Jacobs, Fenwick, Stephane Kélian

	€	€€	€€€
elegant	Designer at Debenhams, H & M, Zara, Warehouse, Oasis, Dorothy Perkins, Principles, Mango, Monsoon **Accessoires** Accessorize, Zara	Jigsaw, Hobbs, French Connection, Karen Millen, LK Bennett, Whistles, Reiss, John Smedley **Accessoires** Jigsaw, Hobbs, Russell & Bromley, Whistles	Armani, Prada, Gucci, Dries van Noten, Vivienne Westwood, Ralph Lauren, Calvin Klein, Brora, CXD, Alexander McQueen, Pringle, Nicole Farhi, Joseph **Accessoires** Stephane Kélian, Joseph, J & M Davidson
casual	Oasis, H & M, Mango, Gap, Marks & Spencer, Designers at Debenhams, Topshop, Dorothy Perkins **Accessoires** Zara, Gap, Accessorize, Oasis, Topshop, Office, Dune, Faith, Mango	Jigsaw, Whistles, Karen Millen, Miss Sixty, French Connection, Michael Stars, John Smedley **Accessoires** Nike, Puma, Jigsaw, Whistles	Joseph, Seven, Marc by Marc Jacobs, Calvin Klein, Earl Jean, Joie, Nuala, Juicy Couture, Chloé, Ann Demeulemeester, Prada Sport **Accessoires** Tods, Hogan, Nuala, Prada Sport
trendy	Topshop, Zara, H & M, Dorothy Perkins, Mango, Miss Selfridge, Pink Soda, Warehouse **Accessoires** Freedom @ TopShop, Accessorize, Faith, Dune, Office	Day Birger et Mikkelsen, Jigsaw, Whistles, LK Bennett, French Connection, Nougat, Michael Stars **Accessoires** Agatha, Butler and Wilson	Dries van Noten, Marc Jacobs, Miu Miu, Gharani Strok, Prada, Ralph Lauren, Temperley, Ann Louise Roswald, Luisa Beccaria, Marni, Rozae Nichols **Accessoires** Zilo, Erickson Beamon, Pippa Small, Me and Ro @ Willma, Patch NYC @ Willma

- **Leer een deel van je garderobe klaar te leggen als outfits. Hierdoor wordt het aankleden 's ochtends gemakkelijk – vooral als je magere of dikke dagen hebt**
- **Tenzij je in een schoonheidssalon werkt, is de werkplek niet de plaats om dik make-up op te smeren – je weet wie je bent...**
- **Als je werkt in een kantoor met daglicht, moet je je make-up in eenzelfde omgeving aanbrengen**
- **Voor het geval je hoge hakken nodig hebt voor een vergadering, kun je, om gemak met elegantie te verenigen, een paar eenvoudige pumps in je bureaula bewaren**
- **Lichaamsgeur kan heel afstotelijk zijn voor collega's en toch generen ze zich misschien er iets over te zeggen. Controleer je oksels, voeten en mond bij een goede vriendin, als er met een bedenkelijk gezicht naar je wordt gekeken**
- **Zorg voor een noodpakketje op het werk – reservekousen, schone slipjes...**

werk en ontspanning Het is altijd hetzelfde. De enige avond dat je uitgaat is net de avond dat de baas je vraagt om over te werken. Je wilt hem niet teleurstellen, maar je bent ook niet van plan je feestje op te geven. Je houdt van je baan, maar niet genoeg om er je eigen leven voor op te geven. Dat weet je, maar je wilt dat je baas blijft geloven dat je voor je werk leeft. Deze leugen in stand houden zonder ongewassen en in vodden naar het feest te hoeven gaan, vereist listige plannen en de gave een toverstokje tevoorschijn te halen. Het is geen optie om met een taxi vliegensvlug naar huis te gaan voor een bad en klaargelegde kleren. Dat is veel te stressig en te duur – een droombeeld dat alleen maar in een roman of film voorkomt. Net zo min wil je een zak vol glamour binnensmokkelen, en je kloffie van overdag achterlaten – en waarschijnlijk vergeten – in de garderobe van de plaats waar het feest wordt gehouden. Slimme gedaanteveranderingen komen neer op het aantrekken van andere schoenen en het verwisselen van een topje. Vat moed, lieve meisjes, jullie kunnen alles hebben – een succesvolle carrière én een opwindend sociaal leven.

werk en ontspanning

3

winter/overdag

waar ze na het werk naartoe gaat...

een spannende afspraak voor een sjiek dineetje

wil...

er verleidelijk uitzien om de hot date te imponeren, maar ook wereldwijsheid uitstralen

winter/'s avonds

hoe verander je van gedaante?

De rok blijft; het witte hemdje gaat uit

Doe de jas uit en laat wat van de benen zien

Verruil de functionele laarzen voor schoenen met naaldhakken en smalle riempjes

Voeg er glittersieraden en netkousen aan toe

wat het over je zegt

'Ik weet dat ik heel sexy ben maar ik beslis zelf voor wie ik te krijgen ben. Ik heb het helemaal voor het zeggen en als er iemand na één nacht, na één keer seks gedumpt wordt, dan wordt dat door míj gedaan.'

winter/overdag

waar ze na het werk naartoe gaat...

drinken met vriendinnen – waarbij er mogelijk enkele begerenswaardige mannen aanwezig zijn

wil...

er helemaal te gek uitzien maar de indruk wekken dat ze er totaal geen moeite voor heeft gedaan

winter/'s avonds

hoe verander je van gedaante?

Doe de omslag van de jeans omlaag

Doe een leuke sexy riem om

Verruil de dikke wollen trui voor een onthullend nauwsluitend truitje

Draag er een paar puntige enkel-laarsjes met naaldhakken bij

wat het over je zegt

'Ik ben gewoon een meid die lol heeft met haar vriendinnen, maar wel díe meid waar de jongens op afkomen.'

winter/overdag

waar ze na het werk naartoe gaat...

de ouders van haar vriend voor de eerste keer ontmoeten

wil...

er goed gekleed uitzien maar een beetje traditioneel in iets waarmee zijn moeder zich kan vereenzelvigen

winter/'s avonds

hoe verander je van gedaante?

Trek de broek uit en doe netkousen aan

Wissel de pumps in voor schoenen met open hiel en naaldhakken

Voeg er een interessante halsketting of een ander sieraad aan toe

wat het over je zegt

'Ik ben een financieel onafhankelijk, goed opgevoed meisje dat met uw zoon wil zijn omdat ik van hem houd. Ik ben aantrekkelijk en modern maar niet hoerig, en zal u dus niet in verlegenheid brengen.'

zomer/overdag

waar ze na het werk naartoe gaat...

werkdiner in avondkleding

wil...

echt moeite aan een mooie outfit besteden, zonder de tijd te hebben dat te doen

zomer/'s avonds

hoe verander je van gedaante?

Trek het hemdje uit

Doe een nauwsluitende choker om of grote oorbellen aan

Doe goudkleurige schoenen met hoge hakken en riempjes aan

Laat je haar loshangen

wat het over je zegt

'Ik maak me niet al te druk om mijn kleren. Ik zie er gewoon van nature goed uit. Ik ben een persoonlijkheid met een bijzonder goede smaak, maar dat zit zó in me dat ik het niet eens opmerk.'

zomer/overdag

waar ze na het werk naartoe gaat...

een verjaardagsdiner met haar man

wil...

goed gekleed en sexy zijn voor een heel speciale avond met degene van wie ze houdt

zomer/'s avonds

hoe verander je van gedaante?

Verwissel de broek voor een lange groene kantachtige rok

Doe een andere beha aan die het decolleté beter doet uitkomen

Draag grote antieke oorhangers en steek de haren achter de oren om ze goed te laten zien

Doe je slipje uit

wat het over je zegt

'Ik ben je huisgodin die weet te goochelen met baan, kinderen, huis en man. Dat ik er sexy uitzie is voor jou en voor jou alleen.'

zomer/overdag

waar ze na het werk naartoe gaat...

een zomerse borrel

wil...

de hipheid opvoeren van iets wat bijzonder is en opvalt

zomer/'s avonds

hoe verander je van gedaante?

Verwissel de platte schoenen voor schoenen met hoge hakken en open teen

Doe een extra lange dunne broek onder de jurk aan

Zorg ervoor dat de sieraden heel apart zijn

Steek je haar op

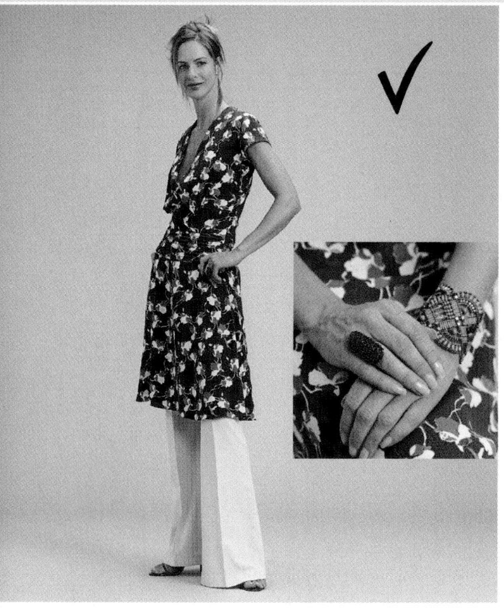

wat het over je zegt

'Ik leid een fascinerend leven. Ik ben de interessantste gast op dit feest en het beste wat je kunt doen is met mij praten – als ik je dat toesta.'

	€	€€	€€€
elegant	Gap Body, Knickerbox, Marks & Spencer, H & M, Zara, Designers at Debenhams, Dune, Morgan, Oasis, Mango, Warehouse, Monsoon, Topshop, Dorothy Perkins, Kookai **Accessoires** Mikey, Accessorize, Zara, Dorothy Perkins, Freedom @ Topshop, Topshop, Office, Faith, Dune	Fantasie, Karen Millen, Wolford, Hobbs, Whistles, Press & Bastyan, French Connection, Bodas, Calvin Klein Underwear, LK Bennett, Reiss, Uth **Accessoires** LK Bennett, Pied à Terre, Agatha, Butler and Wilson, Jigsaw, Kurt Geiger	Prada, Gucci, La Perla, Chloé, Temperley, Joseph, Vanessa Bruno, Rozae Nichols, Celine, Michael Kors, Chanel, Alexander McQueen, Givenchy, Boss Woman **Accessoires** Pippa Small, Gina, Christian Louboutin, Stephane Kélian, Merola, Erickson Beamon, Jimmy Choo
casual	Zara, H & M, Gap, Topshop, Oasis, Warehouse **Accessoires** Mikey, Freedom @ Topshop, Peekaboo @ Topshop, Zara	French Connection, Jigsaw, John Smedley, Whistles, Michael Stars, Nougat, Karen Millen, Reiss **Accessoires** Pied à Terre, Russell & Bromley, Whistles, Butler and Wilson, Agatha	Marc Jacobs, Joie, Earl Jean, Juicy Couture, Chloé, Joseph, Ann Louise Roswald, Temperley, Seven **Accessoires** Stephane Kélian, Joseph, Fenwick, Sigerson Morrison, J & M Davidson
trendy	Gap, Zara, Oasis, Warehouse, H & M, Designers at Debenhams, Principles, Mango, Kookai, Morgan **Accessoires** Accessorize, Freedom @ Topshop, Mikey, Zara, Bertie, Faith, Office	French Connection, Whistles, LK Bennett, Reiss, Karen Millen, Press & Bastyan **Accessoires** Butler and Wilson, Agatha, Pied à Terre, LK Bennett, Kurt Geiger	Diane Von Fürstenberg, Seven, Joie, Juicy Couture, Joseph, Prada **Accessoires** Joseph, Prada, Christian Louboutin, Sigerson Morrison, Gina, Jimmy Choo, Manolo Blahnik, Erickson Beamon, Merola, Pippa Small, Me and Ro

3 winkelen werk en ontspanning/zomer

	€	€€	€€€
elegant	Zara, Warehouse, Oasis, Designers at Debenhams, Topshop, Knickerbox, Marks & Spencer, Gap Body, Dorothy Perkins, Principles **Accessoires** Zara, Freedom @ Topshop, Mikey, Zara, Office, Dune, Faith, Bertie, Accessorize	Jigsaw, Karen Millen, Reiss, LK Bennett, Jaeger, Hobbs, Calvin Klein Underwear, Whistles **Accessoires** Butler and Wilson, Pebble, Agatha, Pied à Terre, LK Bennett, Jigsaw, Post Mistress	Chloé, Paule Ka, Paul and Joe, Prada, Armani, Calvin Klein, La Perla, Vivienne Westwood **Accessoires** Gina, Jimmy Choo, Sigerson Morrison, Merola, Erickson Beamon, Solange Azagury-Partridge, Pippa Small
casual	Zara, H & M, Oasis, Warehouse, Gap Body, Monsoon, Pink Soda, Topshop **Accessoires** Faith, Office, Dune, Accessorize, Mikey, Topshop	Jigsaw, Whistles, Hobbs, Karen Millen, Reiss, French Connection, Frost French, Nougat **Accessoires** Butler and Wilson, Agatha, Jigsaw, Whistles, LK Bennett, Pied à Terre, Post Mistress	Dosa, Chloé, Temperley, The West Village, Alberta Ferretti, Marni, Diane von Fürstenberg, Dries van Noten, Etro, Boyd, Megan Park, Rachel Robarts **Accessoires** Erickson Beamon, Pippa Small, Solange Azagury-Partridge, Gina, Sigerson Morrison, Chloé
trendy	Zara, H & M, Oasis, Dorothy Perkins, Topshop, Miss Selfridge, Kookai, Mikey, Warehouse, Pink Soda, Peekaboo @ Topshop, Mossie @ Topshop **Accessoires** Office, Dune, Bertie, Topshop, Accessorize	French Connection, Sara Berman, Jigsaw, Reiss, Whistles, Butler and Wilson, Agatha, Karen Millen, LK Bennett **Accessoires** Butler and Wilson, Agatha, Whistles, Jigsaw, Pebble	Temperley, Chloé, Boyd, Missoni, Joseph, Megan Park, Alberta Ferretti, Donna Karan, Blumarine, Marc Jacobs, Louis Vuitton **Accessoires** Pippa Small, Solange Azagury-Partridge, Zilo, Me and Ro, Christian Louboutin, Gina, Merola, Jimmy Choo

- **Laat op je werk een make-up-tasje liggen waarin ook deodorant, tandpasta en eau de toilette zitten**
- **Als je er tijd voor hebt is het beter je opnieuw op te maken, vooral als je een lange dag hebt gehad en je moe voelt**
- **Zorg dat je in de zomer wat talkpoeder en voetenspray op kantoor hebt om aan het einde van een lange dag je zweterige voeten op te frissen**
- **Zorg dat er een paar netkousen in je bureaula ligt, zodat je snel een gedaanteverandering kunt ondergaan voor een onverwachte uitnodiging**
- **Neem voor de lunch geld mee, zelfs als iemand je heeft uitgenodigd – zodat je altijd onafhankelijk bent**

- **Houd een klein avondtasje bij de hand om mee te nemen**
- **Bewaar vitamine C-bruistabletten in hoge dosis in je bureau voor een opkikkertje voordat je uitgaat**
- **Laat een paar mooie schoenen met hoge hakken op kantoor staan, zilver of goud in de zomer, zwarte naaldhakken in de winter**
- **Als je denkt – of hoopt – dat het een lange nacht zal worden, en je misschien rechtstreeks naar kantoor moet, zorg dan dat je iets fris in je la hebt om kantoorroddel te voorkomen**
- **Hangt je haar op het einde van de dag slap neer, strijk het dan glad naar achteren als het kort is, of maak een paardenstaart als het lang is**

schoolevenementen Een school heeft iets waardoor je je weer kind voelt. Het is de geur van discipline en nablijven die er in de lucht hangt. Susannah merkt dat ze zich automatisch klein maakt bij de juf van haar vierjarige zoon, hoewel het meisje vijftien jaar jonger is dan zij. Ze zal zich keurig en kalm proberen voor te doen en dus niet tonen hoe chaotisch het begin van de dag in werkelijkheid is. Getekend door onze eigen schooltijd nemen we aan dat docenten alles afkeuren, en als ouders denken we dat elke vergissing van ons tot de veroordeling van onze kinderen zal leiden. Wanneer de kinderen ouder worden, wordt ons uiterlijk cruciaal voor hun contact met vriendjes. Als ma er hip uitziet, straalt dat geweldig op hen af. Als je je hiervan bewust bent, maakt het veel uit wat je bij schoolevenementen aantrekt. Je moet niet alleen goeie punten bij het docentenkorps halen, maar ook nog de goedkeuring van de vriendjes van je kind krijgen. Door zó vanuit de huiselijke chaos te komen opdagen zal jezelf noch je kinderen een dienst bewijzen. Het combineren van een concessie aan de mode met respect voor de schoolomgeving zal iedereen tevredenstellen en geen afbreuk doen aan je zelfrespect.

school-evene-menten

4

sportdag

De hakken zullen voortdurend in de grond wegzakken

De jeansrok beperkt de bewegingsvrijheid

De bloes is zo laag uitgesneden dat de tieten er bij de geringste activiteit uit kunnen springen en iedereen verblinden

wat het over je zegt

'Het interesseert me heus wel wat de andere moeders (en vaders) van me vinden en ik wil altijd modieuzer zijn dan zij. Sportdag… hoezo sportdag?'

sportdag

De bloes is zomers zonder een al te diep decolleté

De broek is mooi, maar laat ruimte voor actieve deelname aan de eierrace

De teenslippers kunnen snel opzij worden gegooid voor de hardloopwedstrijd van de ouders

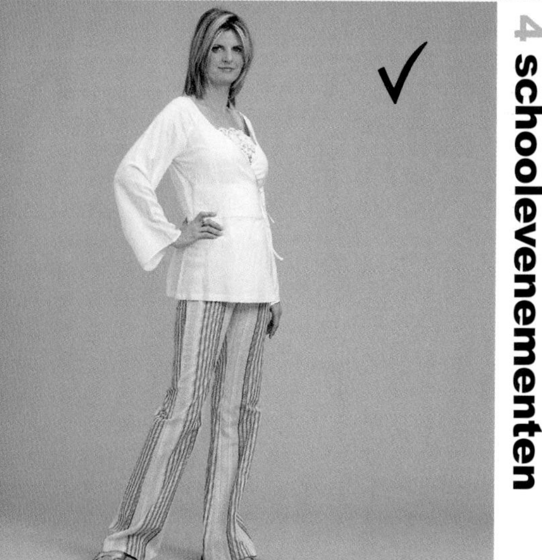

wat het over je zegt

'Ik ben dol op sportdagen en ik zal een handje meehelpen en lol hebben. Vandaag zijn mijn kinderen het middelpunt voor mij, maar ik vind het heerlijk om met de andere ouders te kletsen.'

schooluitvoering

Omslagdoeken zijn erg schoolhoofd-achtig

Het lijkt of je er elk moment vandoor wilt gaan

Het pak en de bijeengebonden haren zien er te streng uit voor een jonge moeder

wat het over je zegt

'Mijn kinderen eten al hun groente op, zeggen alstublieft en dank u wel, houden de deur open en doen hun huiswerk op tijd. Ze zullen naar de universiteit gaan en premier worden.'

schooluitvoering

Gelijksoortige kleuren brengen lijn in de afzonderlijk combineerbare kledingstukken

Een mooie jas kan een outfit waarin je overdag rondrent in iets bijzonders veranderen

Het loshangende haar ziet er relaxter en minder streng uit

wat het over je zegt

'Ik ben een degelijke moeder die er wel op let in het publiek op te gaan. Ik mag dan wel een dynamische carrièrevrouw zijn, maar ik maak toch tijd vrij om er goed uit te zien voor m'n kinderen.'

ouderavond

De spijkerbroek ziet er slordig en smerig uit

Het niet in de broek gestopte bloesje roept het beeld op van een nalatige, wanordelijke moeder

De zonnebril op het hoofd doet eerder aan een rebelse leerling denken

De afgetrapte schoenen zien er sjofel uit

wat het over je zegt

'Ik heb hier echt geen tijd voor, want ik moet naar de supermarkt. Chaos is het trefwoord voor de levensstijl van mijn gezin. Wat je me vertelt, gaat het ene oor in en het andere uit.'

ouderavond

Door je goed te kleden dwing je respect af bij de docent

Het leren jasje maakt de outfit wat pikanter

Het over elkaar dragen van kleren in dezelfde kleur voegt een dimensie toe zonder er rommelig uit te zien

De laarzen verlenen de outfit een modern cachet

wat het over je zegt

'Ik respecteer de school. Ik ben een degelijke moeder die het verdient kinderen te hebben. In mijn hart ben ik jong en ik heb dolle pret met mijn kinderen. Ik wil het beste voor hen en ik verwacht dat u, juffrouw, daarvoor zorgt.'

kerstconcert

Rood en zwart geven iedereen iets hoerigs – NIET feestelijk

De mengelmoes van een hoge split, netkousen en enkellaarsjes riekt naar een al te verwoede poging jong en sexy te zijn

Felrode lippenstift is te opzichtig voor de gelegenheid

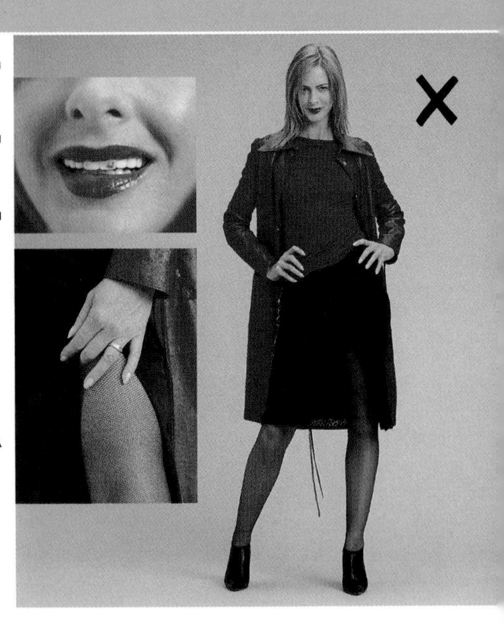

wat het over je zegt

'Ik ben sletterig en een slecht voorbeeld voor mijn kinderen. Ik flirt met alle vrienden van mijn tienerzoon – mmm, ik denk dat ik even met die wiskundeleraar moet babbelen.'

kerstconcert

Het subtiele geglinster is een vrolijke concessie aan de feestdagen

Dankzij de donkere kleuren kan je kind, en niet jij, schitteren

De laarzen verzachten het effect van de lovertjes

wat het over je zegt

'Ik ben een aantrekkelijke jammie mammie en de vriendjes van mijn kind zullen altijd welkom zijn en lol hebben wanneer ze bij ons thuis komen spelen.'

	€	€€	€€€
sportdag	H & M, Mango, Zara, Warehouse, Marks & Spencer, George @ Asda, Florence and Fred @ Tesco, Dorothy Perkins, Principles, La Redoute, Boden, Gap Body, Knickerbox **Accessoires** Accessorize, Office, Bertie, Ravel, H & M, Zara, Faith, Dune	French Connection, Michael Stars, Whistles, Sweaty Betty, Frankie B, Urban Outfitters, Calvin Klein Underwear **Accessoires** Birkenstock, Nike, Puma, Russell & Bromley	Dosa, Marni, Joseph, Dolce and Gabbana, Prada Sport, Polo Ralph Lauren, Melissa Odabash, Juicy Couture, Earl Jean, Seven, Nuala, Paul and Joe **Accessoires** Sigerson Morrison, Tods, Nuala, Prada Sport, Hogan
schooluitvoering	Zara, Warehouse, Mango, H & M, Designers at Debenhams, Accessorize, Mikey, Freedom @ Topshop, Oasis, Dorothy Perkins **Accessoires** Freedom @ Topshop, Oasis, Zara, H & M, River Island, Gap, Nine West, Faith	Jigsaw, French Connection, Karen Millen, Press & Bastyan, Michael Stars, John Smedley, LK Bennett, Hobbs, Whistles **Accessoires** LK Bennett, Hobbs, Whistles, Jigsaw, Karen Millen, Kurt Geiger	Boyd, Temperley, Ronit Zilkha, Prada, Chloé, Joseph, J & M Davidson, Brora, CXD **Accessoires** Prada, Chloé, Stephane Kélian, Jimmy Choo, Christian Louboutin, Joseph, J & M Davidson

4 winkelen schoolevenementen

	€	€€	€€€
ouderavond	Monsoon, Zara, H & M, Designers at Debenhams, Oasis, Warehouse, Topshop, Mango **Accessoires** Office, Bertie, Nine West, Jones the Bootmaker, Nine West, Accessorize	Jigsaw, French Connection, Hobbs, Whistles, Michael Stars, John Smedley, Karen Millen, Coast **Accessoires** Hobbs, Whistles, Kurt Geiger, LK Bennett, Karen Millen, Jigsaw	Joseph, Gucci, Prada, Alexander McQueen, Chloé, Dries van Noten, Brora, Pringle, Marilyn Moore, Vivienne Westwood, Vanessa Bruno, Rozae Nichols **Accessoires** Prada, Gucci, Sigerson Morrison
kerstconcert	Zara, Designers at Debenhams, Oasis, Warehouse, H & M, Mango, Topshop **Accessoires** Bertie, Nine West, Topshop, Faith, Office, Zara	French Connection, Karen Millen, Jigsaw, Press & Bastyan, John Smedley, Hobbs **Accessoires** Russell & Bromley, LK Bennett, Jigsaw, Karen Millen	Nicole Farhi, Plein Sud, Temperley, Ralph Lauren, Prada, Alexander McQueen, Chloé, Stephane Kélian, Boss Woman, Armani, Gucci **Accessoires** Stephane Kélian, Prada

- Denk eraan dat je niet meer op school zit – en amuseer je dus
- Zie er schoon en netjes uit maar kleed je niet te opzichtig of te sexy
- Doe rustig aan met de make-up
- Als je geen ouder bent gelden er minder beperkingen en kun je er wel wat excentrieker uitzien
- Vlei de leerkrachten niet al te veel. Ze zullen alleen maar argwaan krijgen

- **Te veel opscheppen over je kind irriteert andere ouders**
- **Houd de fotospullen tot het minimum beperkt**
- **Heb je kinderen in de tienerleeftijd, probeer dan niet al te veel met hun vrienden te kletsen en hen niet in hun geveinsde zelfverzekerdheid te overtreffen. Je zult alleen maar je eigen kind in verlegenheid brengen**

zomerbruiloft O, de genoegens van een zomerbruiloft. Geurige lucht bespikkeld met eendagsvliegen; het milde avondlicht dat de dezelfde wonderen voor de huid verricht als Botox; bruidsmeisjes op blote voeten, gloeiend van de warme middagzon, fladderend rond de bruiloftstaart. Liefdevol laat je je blikken over het idyllische tafereel dwalen, wanneer je plotseling iets gruwelijks in zwarte klompschoenen en een gehaakte sjaal in het vizier krijgt. Het was allemaal te mooi om waar te zijn, en er is altijd wel een gast die zó vanaf de planeet Wansmaak uit de lucht komt vallen. Het onbekende wezen is in verwarring over de seizoenen. Ze weet niet of het zomer of winter is. Met haar tijdmechanisme is ook iets misgegaan. Is het dag of nacht? Om elk risico dat ze kouvat, gaat zweten of onverwacht ongesteld wordt, uit te sluiten draagt ze dikke vleeskleurige kousen die opbollen over zwarte sandalen met brede banden. Haar 'handige' sjaal is gemakkelijk af te leggen na een inspannend dansje rond haar reistas waarin een groot voordeelpak inlegkruisjes zit. Ze heeft overal aan gedacht – en dat is aan haar outfit te zien. Ze ziet er niet elegant uit. Ze is een uit één vrouw bestaande opeenhoping van modeblunders. Ken je deze vrouw? Als dat zo is, lees dan verder.

zomer-
bruiloft

5

overdag

Alles past bij elkaar – zelfs de tas en de hoed

De lengte van het jasje is ouderwets en lelijk van proporties voor elk figuur

De hele outfit toont een volledig gebrek aan persoonlijkheid

Als het zonnig is zal het materiaal om te stikken zijn

wat het over je zegt

'Ik heb geen fantasie, maar die heb ik ook niet nodig, omdat ik alleen maar in de pas wil lopen met alle andere tutten van middelbare leeftijd. Ik heb dit pak al vaak aangehad – het is mijn trouwpak.'

overdag

Een ragfijne zomerjurk die het figuur goed doet uitkomen is de meest elegante kledij voor een zomerbruiloft

De hoed accentueert de lichtste kleur in de jurk, niet de donkerste

De accessoires vallen op omdat ze trendy zijn

wat het over je zegt

'Ik wil de bruid of haar moeder niet overschaduwen. Ik besef wat een bijzondere dag dit is en heb extra moeite aan mijn uiterlijk besteed.'

overdag

Het jeansjasje is totaal ongepast voor een bruiloft en getuigt van een gebrek aan respect voor de belangrijkheid van de dag

De linnen rok zal lelijk kreuken tijdens de plechtigheid

De tas is overweldigend en biedt een rommelige aanblik

Wat heeft ze daar op haar hoofd?

wat het over je zegt

'Het kan me niets schelen dat ik niet meer aan een man raak, en ik hou niet van bruiloften, dus wil ik er ook niet m'n best voor doen. Eigenlijk ben ik te cool om me aan de traditie aan te passen.'

overdag

Het combineren van verschillende dessins is prima als het materiaal en de kleuren hetzelfde zijn

De hoed is grappige gespreksstof maar niet dominant

De schoenen zijn sexy maar bieden genoeg steun zodat je er niet als een halvegare bij loopt

wat het over je zegt

'Ik ga me amuseren. Het is dolle pret met mij, en ik zal je onder de tafel drinken maar toch alert genoeg blijven om het bruidsboeket op te vangen.'

’s avonds

Het tweedjasje is niet meer van deze tijd en te ongemakkelijk om in te dansen

Zwarte accessoires contrasteren te veel met de pastelkleuren

De nauwsluitende choker kenschetst de draagster

wat het over je zegt

‘Oké, já! Als ik je eenmaal beetheb, kom je niet meer weg. Ik zal doordrammen over fascinerende onderwerpen zoals het weer, mijn Jack Russell en het feit dat ik de bruid al ken vanaf de tijd dat ze zó klein was.’

's avonds

De kleding zou vintage kunnen zijn, maar komt uit een grote betere kledingzaak

De kleuren van de outfit komen terug in het haarstuk

Een sexy jurk om in te dansen

Een slankmakend vestje en een fantastische avondtas completeren een magnifieke look

5 zomerbruiloft elegant

wat het over je zegt

'Ik heb begrip voor de ernst van een kerkelijke plechtigheid, maar ben wel van plan om me later, wanneer het dansen begint, helemaal te laten gaan.'

's avonds

Marineblauw en rood staan nooit mooi bij elkaar tenzij er een andere kleur bij wordt gedragen

De bloemen zouden er veel beter uitzien als ze gewoon in het haar zouden zitten

Gehaakte vestjes zien er fantasieloos en slonzig uit, waar ze ook vandaan komen

wat het over je zegt

'Ik heb frivole kleren nodig om mijn gebrek aan persoonlijkheid te compenseren. Het zal een hele klus zijn met mij te praten totdat ik flink de keel heb gesmeerd. Dan zal ik mezelf voor gek zetten op de dansvloer vóór ik moet overgeven.'

’s avonds

Het jasje van namaaknerts voegt een vleugje glamour toe en verhult dikke armen eleganter dan een sjaal

Geen hoed wil zeggen: geen platte haren eronder

Dankzij de lovertjes ziet de kortere rok er nog altijd formeel genoeg uit

wat het over je zegt

‘Ik laat je graag naar mijn decolleté gluren, als je je handen maar thuishoudt. Heb je eenmaal kennis met me gemaakt, dan zul je niet meer van mijn zijde willen wijken.’

	€	€€	€€€
elegant	Zara, Oasis, Warehouse, Designers at Debenhams, Kookai, Monsoon **Accessoires** Office, Dune, Faith, Mikey, Freedom @ Topshop, Bertie, Accessorize	Karen Millen, Whistles, Press & Bastyan, Reiss, Miliana T @ The Cross, Jigsaw, Bella Freud for Jaeger **Accessoires** LK Bennett, Kurt Geiger, Butler and Wilson, Agatha, Jigsaw, Pied à Terre, Coccinelle	Prada, Alberta Ferretti, Temperley, Paul Smith, Chanel, Betty Jackson, Elspeth Gibson, Diane von Fürstenberg, Ronit Zilkha **Accessoires** Gina, Jimmy Choo, Manolo Blahnik, Christian Louboutin, Sigerson Morrison, Paul Smith, Philip Treacy, Jamin Puech, Erickson Beamon, Zilo, Solange Azagury-Partridge
trendy	Kal Kaur Rai, Pink Soda, Zara, Warehouse, Office, Oasis, Accessorize, Mikey, Topshop, Peekaboo @ Topshop, Dune, Portobello Market **Accessoires** Office, Accessorize, Mikey, Freedom @ Topshop, Peekaboo @ Topshop, Dune, Portobello Market	Karen Millen, Whistles, Reiss, Miliana T @ The Cross, French Connection, Jigsaw **Accessoires** Whistles, LK Bennett, Free Lance, Pied à Terre, Kurt Geiger, Jigsaw	Temperley, Boyd, Megan Park, Jamin Puech, Gharani Strok, Paul Smith, Luisa Beccaria, Shirin Guild, Moschino, Virginia, Steinberg and Tolkien **Accessoires** Gabriella Ligenza, Philip Treacy, Christian Louboutin Jamin Puech, Manolo Blahnik, Paul Smith, Virginia, Steinberg and Tolkien

5 winkelen zomerbruiloft/'s avonds

	€	€€	€€€
elegant	Monsoon, Zara, Accessorize, Oasis, Designers at Debenhams, Warehouse, Principles, Dorothy Perkins, Kal Kaur Rai @ Topshop, Pink Soda **Accessoires** Zara, Accessorize, Freedom @ Topshop, Mikey	Karen Millen, Press and Bastyan, Whistles, Reiss, Jigsaw, French Connection **Accessoires** Butler and Wilson, Agatha, Pied à Terre, LK Bennett, Kurt Geiger, Jigsaw	Ben di Lisi, Valentino, Prada, Celine, Armani, Christian Dior, YSL, Alberta Ferretti, Betty Jackson **Accessoires** Judith Leiber, Swarovski, Philip Treacy, Erickson Beamon, Pippa Small, Merola, Basia Zarzycka, Jimmy Choo
trendy	Zara, Oasis, Designers at Debenhams, Betty Jackson at Freemans, Kookai, Warehouse, Portobello Market, Peekaboo @ Topshop **Accessoires** Accessorize, Mikey, Freedom @ Topshop	French Connection, Reiss, Whistles, LK Bennett, Butler and Wilson, Jigsaw, Karen Millen **Accessoires** LK Bennett, Butler and Wilson, Kurt Geiger, Jigsaw, Pied à Terre, Agatha, Karen Millen	Ungaro, Gharani Strok, Temperley, Betty Jackson, Elspeth Gibson, Luisa Beccaria, Gina, Boyd, Basia Zarzycka, Megan Park, Chloé, Virginia, Moschino **Accessoires** Jimmy Choo, Gabriella Ligenza, Gina, Basia Zarzycka, Philip Treacy, Jamin Puech, Virginia, Steinberg and Tolkien

5 zomerbruiloft tips

- Stel de bruid nooit in de schaduw, tenzij ze met je ex-minnaar trouwt
- Als je niet weet hoe je met een ex of ongewenste aandacht moet omgaan, zet dan een breedgerande hoed op om te veel lijfelijk contact te vermijden
- Draag geen wit bij een traditionele huwelijksplechtigheid
- Als de receptie ergens bij een gazon plaatsvindt, doe dan geen schoenen met smalle hakken aan
- Neem geen grote tas mee
- Als het nat is, doe dan geen sandalen met open teen of suède schoenen aan

- **Als de bruiloft bij daglicht wordt gehouden, breng dan ook je make-up bij daglicht aan**
- **Ga naar een pedicure als je sandalen met open teen aandoet, en besteed extra zorg aan je hielen**
- **Een waaier kan je verkoeling geven in de kerk en fungeren als een koket accessoire**
- **Een broek is prima – als het maar niet de broek is die je naar het werk zou aandoen**
- **Als je een laag voorhoofd hebt, zet dan een hoed met een grote bol op om een evenwichtig geheel te doen ontstaan**

winterbruiloft Plof! Een uitnodiging voor een trouwerij valt op de deurmat. 'Och, die en die gaat trouwen. Moet m'n pak uit de kast halen. Zal m'n jas maar laten stomen, want 't zal wel koud zijn. Goddank heb ik die hoed gekocht voor Janes bruiloft in de zomer. Hij zal perfect passen bij m'n tas en schoenen.' Zien we het uniform al voor ons? Om een of andere reden roepen winterbruiloften de filiaalchef in de vrouw wakker. Er zijn vaak functionele pakken te zien, samen met een zware winterjas en een marineblauwe of zwarte hoed die absoluut niet bij de rest van de outfit past. In de koude maanden worden er bijna geen kleuren gedragen, waardoor een plechtigheid meer lijkt op die voor een gestorven familielid. Misschien verbreekt één gaste de kleurloze gelederen, maar je kan er zeker van zijn dat ze dit doet in flessengroen of kastanjebruin. Is er 's avonds een feest, dan duikelt de stijl omlaag in blote jurken, met als compromis iets warms erbij dat even ongepast is als de aanwezigheid van de ex van de bruidegom. Hoewel dit natuurlijk een overdreven generalisatie is, zullen velen van jullie elementen van de klassieke winterbruiloftkledij herkennen. Bevrijd je van de ketenen van middelmatigheid door een opvallend verbluffende gaste te zijn.

winter-
bruiloft

6

overdag

Alleen de bruid zou in het wit gekleed moeten gaan

Ondoorzichtige zwarte kousen moeten nooit bij witte kleren worden gedragen

Kies niet voor de gebruikelijke 'bruiloftshoed'. Neem iets vlotters

Het ziet eruit als een uniform voor de oudere dame

wat het over je zegt

'Ik voel me veilig in het hokje van de middelbare leeftijd. Ik dof me niet vaak op, omdat ik tegenwoordig niet veel uitga.'

overdag

Een geklede jas houdt je warm en is elegant tegelijkertijd

De jas kan ook bij alledaagse gelegenheden worden gedragen

Elegante platte leren laarzen helpen je elke smerige landweg over te steken

Een hippe hoed komt het beste uit met iets simpels van snit

wat het over je zegt

'O, dit is iets wat ik op het laatste moment heb aangeschoten. Maar ik weet er iets van te maken omdat ik besef hoe belangrijk een goede pasvorm is.'

overdag

Er trendy uitzien wil niet zeggen: in werkkleding naar een trouwfeest gaan

Een suède rok en suède jasje moeten nooit samen worden gedragen – of ze nou bij elkaar passen of niet

Ook al heb je geen hoed op, dan kun je er nog uitzien alsof je je best hebt gedaan

wat het over je zegt

'Dit pak is zo praktisch dat ik het helemaal heb opgedragen. Speciale gelegenheden zijn niets voor mij en ik weet dat mijn vrienden van me houden om wie ik ben.'

overdag

Bont maakt de draagster meteen glamoureus

Bordeauxrood en turquoise kunnen er samen geweldig uitzien

Afzonderlijke kledingstukken zijn veel interessanter dan een pak

Een combinatie van materialen geeft de outfit iets weelderigs

wat het over je zegt

'Ik leid zo'n druk leven dat ik geen tijd heb om speciale kleding voor een trouwfeest te kopen. En dat is ook niet nodig omdat ik van nature veelzijdig ben. Ik pas in elk gezelschap, zodat ik de ideale bruiloftgaste ben.'

's avonds

Een kolossale jas overweldigt dat wat eronder zit en ontneemt een outfit elke elegantie

De schoenen met open teen staan lelijk bij de jas (en je voeten zullen bevriezen)

Helemaal in het zwart is veilig – maar doodsaai

wat het over je zegt

'Ik ben een heel creatief mens en ben stapelgek op katten en straattheater. Mijn sterrenbeeld is Maagd met Ram als ascendant, en ik laat één keer per maand m'n darmen spoelen.'

’s avonds

Een nauwsluitend jasje en lange rok flatteren bijna elk figuur

Een rok met opdruk en een donkerder jasje zijn prima als je bovenlichaam forser is (probeer het omgekeerde als je onderlichaam forser is)

Later kan het jasje worden uitgedaan om een avondtoilet te voorschijn te toveren

wat het over je zegt

‘Ik respecteer de ernst van de trouwbeloften, maar ik ben wel van plan me op het feest te laten gaan zonder mijn outfit te bederven. Als je geluk hebt, zal ik m’n jasje uitgooien om een beetje meer te onthullen.’

’s avonds

Het zwart doet afbreuk aan het flitsende van de rok

Een bontmuts is meer iets voor overdag

Een rok tot op de enkels lijkt door laarzen met lage smalle hakjes een verkeerde lengte te hebben

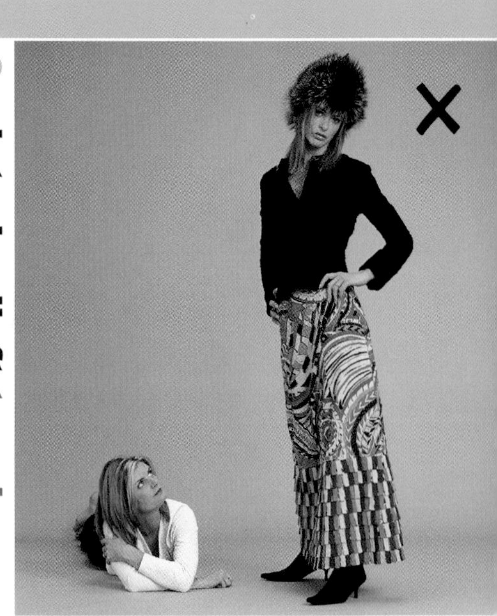

wat het over je zegt

‘Mijn hoed is van Prada, het jasje van McQueen, de rok van Missoni, de laarzen van Stephane Kélian. Ik ben dol op YSL en vind Tom Ford geniaal… Ik verveel je toch niet, hè?’

’s avonds

Dit laat zien hoe goed design-, vintage- en merkkleren met elkaar te combineren zijn

Verschillende dessins samen dragen kan heel goed als dezelfde kleuren worden gebruikt

Een lange rok ziet er prachtig uit met hoge hakken die niet te zien zijn

wat het over je zegt

‘Ik ben dol op mode, maar ik vertel niemand waar m’n kleren vandaan komen. Ik zal je bij het diner zeker niet vervelen en als je even niet weet wat je moet zeggen, zeg dan dat je m’n vlinders enig vindt.’

6 winkelen winterbruiloft/overdag

	€	€€	€€€
elegant	Zara, Oasis, H & M, Mango, Marks & Spencer, Designers at Debenhams, Monsoon, Kookai, Principles, Dorothy Perkins **Accessoires** Accessorize, Topshop, Designers at Debenhams, Office, Dune, Faith	Jigsaw, Karen Millen, Whistles, Reiss, Uth, Jaeger, LK Bennett, Fred Bare, Hobbs, John Smedley, Press & Bastyan **Accessoires** Jigsaw, Karen Millen, Whistles, Hobbs, LK Bennett, Fred Bare, Kurt Geiger	Chloé, Prada, Missoni, Karl Donoghue, Joseph, Ann Louise Roswald, Temperley, Boyd, Alberta Ferretti, Marilyn Moore, Vivienne Westwood **Accessoires** Karl Donoghue, Joseph, Philip Treacy, Stephane Kélian, Christian Louboutin, Scorah Patullo
trendy	Zara, Designers at Debenhams, Oasis, Hennes, Warehouse, Mango, Monsoon **Accessoires** Faith, Dune, Office, Designers at Debenhams, Zara	French Connection, Hobbs, LK Bennett, Reiss, Jigsaw, Karen Millen, Coast, Press & Bastyan, John Smedley **Accessoires** Hobbs, LK Bennett, Jigsaw, Karen Millen	Temperley, Alberta Feretti, Boyd, Gabriella Ligenza, Megan Park, Jimmy Choo, Stephane Kélian, Sigerson Morrison, Joseph, Virginia **Accessoires** Gabriella Ligenza, Jimmy Choo, Stephane Kélian, Sigerson Morrison, Joseph, Virginia

6 winkelen winterbruiloft/'s avonds

	€	€€	€€€
elegant	Zara, Oasis, H & M, Marks & Spencer, Gap Body, Kookai, Principles, Designers at Debenhams, Pink Soda, Topshop, Warehouse, Monsoon, Dorothy Perkins, Wallis **Accessoires** Office, Faith, Dune, Freedom @Topshop, Accessorize, Zara	Jigsaw, Karen Millen, Reiss, LK Bennett, French Connection, Nougat, Press & Bastyan **Accessoires** Butler and Wilson, Agatha, LK Bennett, Pied à Terre	Dries van Noten, Etro, Elspeth Gibson, Chloé, Vivienne Westwood, Armani, YSL, Temperley, Ungaro, Alberta Ferretti, Escada, Ben di Lisi, Basia Zarzycka **Accessoires** Gina, Jimmy Choo, Erickson Beamon, Merola, Christian Louboutin, Basia Zarzycka
trendy	Monsoon, Zara, Warehouse, Designers at Debenhams, Office, Faith, Dune, Monsoon, Dorothy Perkins, Wallis, Oasis, Freedom @ Topshop, Peekaboo @ Topshop, Portobello Market, Mikey **Accessoires** Designers at Debenhams, Office, Faith, Dune, Freedom @ Topshop, Peekaboo @ Topshop, Portobello Market, Mikey, Claire's Accessories, Accessorize	Jigsaw, Karen Millen, French Connection, Reiss, Whistles, Press & Bastyan, Nougat **Accessoires** Jigsaw, Karen Millen, Pied à Terre, Whistles, Kurt Geiger	Etro, Chloé, Missoni, Alberta Ferretti, Boyd, Megan Park, Luisa Beccaria, Gabriella Ligenza, Ungaro, Basia Zarzycka, Ronit Zilkha **Accessoires** Gabriella Ligenza, Phllip Treacy, Basia Zarzycka, Merola, Erickson Beamon

- **Combineer kleuren zoals de natuur het zou doen. Denk aan de kleuren van bladeren in de herfst. Die vloeken nooit met elkaar**
- **Ga niet in het zwart naar een trouwfeest**
- **Als het heel erg koud is, doe dan thermisch ondergoed aan in plaats van een zware jas die alleen maar alle moeite die je je hebt getroost verborgen zal houden**
- **Vergeet niet dat handschoenen je warm houden en een elegant cachet geven – als ze maar niet zwart en van wol zijn**
- **Draag geen zomerhoed bij een winterse outfit**

- **Controleer of de schaduw van je hoed de donkere kringen onder je ogen niet accentueert**
- **Rouge is belangrijk in de winter, vooral als je een vale teint hebt**
- **Zelfs al is het een kerstachtige bruiloft, maak je dan toch niet met al te veel glitter op**
- **Als je kousen draagt en naar een kerk met mogelijkerwijs splinterige banken gaat, zorg dan dat je een reservepaar bij je hebt**

zomervakantie De gedachte een bikini te moeten aantrekken vervult iedereen, behalve gekken, van een panische angst. Het beeld van onze witte lijven ontsierd door dijen vol cellulitis die op het strand opduiken als lichtbakens van gevlekte huid is al genoeg om ons tot afzondering te verdoemen. Tijdschriften beschrijven wonderbaarlijke 'bikinidiëten' en vertellen ons hoe we een glanzend gebronsd vel kunnen krijgen, waarbij de werkelijke boodschap is dat je lichaam hard als marmer, onzinnig dun en goudbruin moet zijn voor je je in de buurt van het gruwelijke badpak waagt. Alsjeblieft zeg. Wat een gelul. Geen wonder dat we allemaal sidderen voor we ons in het openbaar uitkleden. Maar er zijn manieren en middelen om lelijke plekken nonchalant te bedekken, net zoals er geweldige strandtenues zijn die de aandacht van eventuele toeschouwers afleiden van je gebrek aan kleur. Vreemd genoeg valt een weerzinwekkend badpak de mensen veel meer op dan een hangkont. Als de zon eenmaal ondergaat, is het gemakkelijk er zorgeloos en ongedwongen stijlvol uit te zien. Dit kun je bereiken met oude lievelingsspullen die al jaren in je kast liggen – zorg er alleen voor dat ze niet slonzig, ouderwets of al te gek zijn. Amuseer je en denk eraan ons een ansichtkaart te sturen!

zomer-vakantie

7

op het strand

Diamanten bij een badpak zijn een hersenspinsel van Hollywoodschrijfster Jackie Collins

Hoewel zwart afkleedt, is het met goudkleurige sandalen en sieraden te Palm Beach-achtig

Een teveel aan make-up loopt uit wanneer het heet wordt

wat het over je zegt

'Ik heb al mijn vijf vorige echtgenoten uit de weg geruimd en vroeg me af of jij rijk genoeg bent om de volgende te zijn. Zonder mijn make-up blijft er van mijn schoonheid niets over.'

op het strand

Een sarong en bijpassend badpak zien er prima uit als de opdruk klein en onopvallend is

Het dragen van eenzelfde dessin en kleur maakt slank en doet het lichaam langer lijken

Platte goudkleurige sandalen zijn glamoureus zonder hoerig te zijn

wat het over je zegt

'Ik ben bescheiden en houd er niet van de aandacht te trekken, maar ik zal hartelijk en vriendelijk zijn als je met me wilt kletsen.'

op het strand

Een hoog in de taille gerimpelde korte broek flatteert geen enkele buik

Een korte broek staat het beste bij het bovenstukje van een bikini

De gemakkelijke sandalen zien eruit alsof ze voor iemand met misvormde voeten zijn gemaakt

Echt, haar achterste lijkt in deze korte broek kolossaal

wat het over je zegt

'Reizen gaat me niet goed af. Mijn maag kan niet tegen buitenlandse troep, dus neem ik m'n baconsandwiches in keurige Tupperwaredoosjes mee naar het strand.'

op het strand

Een langer short dat laag op de heupen hangt en van voren plat is, is het flatterendste model om te dragen. Doe er het bovenstukje van een bikini bij aan

Instappers zijn gemakkelijk en flatteren de voeten

Een strooien hoed is eenvoudig maar doeltreffend

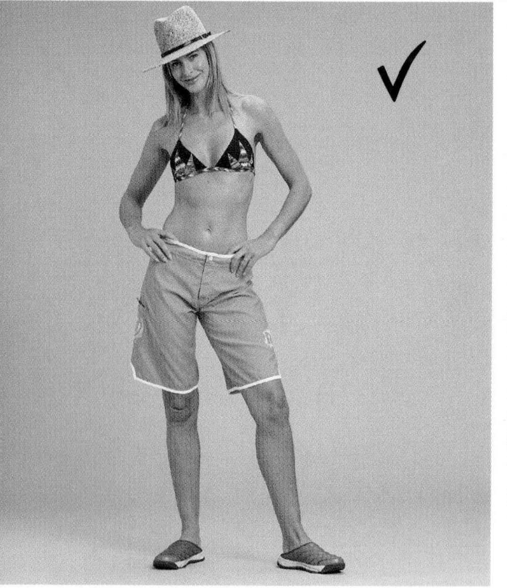

wat het over je zegt

'Je zult er geen idee van hebben of ik stinkend rijk of een armoedzaaier ben. Ik zou de mooiste villa op het eiland kunnen bezitten of in een tent op een camping kunnen slapen. En het zou je allebei niets kunnen schelen, omdat ik geweldig ben.'

op het strand

Alles van één designerlabel dragen accentueert alleen maar een gebrek aan goede smaak

De bikini alleen zou prima zijn met een paar contrasterende accessoires

Laat hoofddoekjes over aan Griekse weduwen of tieners en twintigers

wat het over je zegt

'Ik denk dat designerlabels me als persoonlijkheid interessanter maken. Eerlijk gezegd heb ik geen persoonlijkheid, maar aangezien ik na een paar Tia Maria's een willig slachtoffer ben, maakt dat toch niet uit?'

op het strand

Een eenvoudig badpak met een exotisch kledingstuk eroverheen is stijlvol, terwijl het lichaamsdelen bedekt die je liever niet laat zien als je uit het water komt

Ziet er goed uit en biedt bescherming voor degenen met cellulitis en een bleke huid

wat het over je zegt

'Ze kunnen me de pot op met al die opgefokte bikinidiëten in de bladen. Ik bedek mijn minder fraaie onderdelen gewoon met een prachtig etnisch gewaad.'

na het zonnen

Zwart kan er voor een zomeravond te somber uitzien

...vooral als er zwarte leren schoenen bij worden aangetrokken

In polyesterstoffen zweet je als varkensvlees in plastic

wat het over je zegt

'Ik ben precies als alle andere duffe toeristen, wat betekent dat ik het vertik avontuurlijk te zijn en niet zal afdwalen van de hoofdstraat met zijn fastfoodtenten en prullige souvenirwinkels.'

na het zonnen

De jurk zit als gegoten maar heeft geen strakke ceintuur die in het vlees dringt en de pijn van zonverbrande huid verergert

Goudkleurige sandalen staan goed bij alle zomeravondoutfits

Lichte kleuren doen zelfs de vaagst waarneembare bruine teint goed uitkomen

wat het over je zegt

'Kom naast me staan als je het hoofd koel wil houden. Mijn vakantie heeft me zo ontspannen dat ik er werkelijk van kan genieten een tijdje vrijaf te hebben.'

na het zonnen

Met de zware rok en het slonzige T-shirt zie je eruit alsof je weekendinkopen gaat doen

Door het in de rok gestopte shirt zul je het veel te heet krijgen

Neem op je zomervakantie geen grote zwarte tas mee

Deze schoenen schreeuwen: 'spataderen en eeltknobbels'

wat het over je zegt

'Dit is de eerste keer dat ik in het buitenland ben en omdat ik zo'n onervaren reiziger ben, staan mijn tas en ik open voor elke straatrover en zakkenroller aan de Costa.'

na het zonnen

Een ragfijne lange witte broek en een wijde bloes zijn gemakkelijk en wekken de indruk dat je al vele hete vakanties hebt meegemaakt

Tijdloze kleren voor alle leeftijden die net zo lang meegaan als ze passen

De oorbellen maken de outfit trendy en kunnen elk seizoen worden verwisseld

wat het over je zegt

'Waar ik logeer? Nee hoor, ik woon hier. En als ik je echt aardig vind, zal ik je verklappen waar het fantastische stamcafeetje van de plaatselijke bewoners is.'

na het zonnen

Te veel make-up op een bruin gezicht doet het er smerig uitzien

Heel hoge hakken kunnen de enkels en voeten nog meer doen opzwellen in de hitte

Synthetische stoffen maken van de huid een zompige kweekplaats van zweetlucht

wat het over je zegt

'Micro-minirokjes zijn erg hip, wat geweldig is omdat ik zo met m'n donkerbruine kleur kan pronken. Bruin worden is het enige wat me boeit en daarvoor ben ik bereid tot elke zelfvernedering.'

na het zonnen

Zijde is de koelste stof om na een lange dag in de zon te dragen

Lichte kleuren neutraliseren het rood van een zonverbrande huid

Een lange rok verhult bleke benen zolang ze nog geen kleur hebben

Platte sandalen staan goed bij een lange rok

wat het over je zegt

'Ik hoef niet op het strand te gaan liggen braden. Ik heb gewoon het hele jaar door een natuurlijke gouden teint en ben erg cool.'

	€	€€	€€€
elegant	Zara, Topshop, Miss Selfridge, Monsoon, Next, Marks & Spencer, Warehouse, H & M **Accessoires** Zara, Bertie, Office, Accessorize, Freedom @ Topshop, Claire's Accessories, Jasper Conran for Debenhams	Jigsaw, Whistles, Seafolly, Saltwater, French Connection, Cacharel, Miu Miu, Sportmax, Footprints **Accessoires** LK Bennett, Cacharel, Jigsaw, Miu Miu	Prada, La Perla, Heidi Klein, Melissa Odabash, Allegra Hicks, Missoni, Versace, Celine, Pucci, Liza Bruce, Escada Sport, Armani **Accessoires** Gina, Sigerson Morrison, Pucci, Gucci
casual	H & M, Topshop, Next, Benetton, Adidas, Boden, Marks & Spencer, Gap **Accessoires** Boden, Dune, Gap, Scholl, Office, Faith, Freedom @ Topshop, Accessorize	Birkenstock, Sweaty Betty, Seafolly, Diesel, Naf Naf, French Connection, Mambo, Nike, Puma **Accessoires** Nike, Puma, Birkenstock	Missoni, Marni, Juicy, Maharishi, Melissa Odabash, Prada Sport **Accessoires** Anya Hindmarch, Nuala, Hogan, Orla Kiely, Kate Spade, Tods
trendy	H & M, Topshop, Next, Warehouse, Designers at Debenhams, Faith, Marks & Spencer, Dune, H & M, Miss Selfridge, New Look, Gap **Accessoires** H & M, Freedom @ Topshop, Designers at Debenhams, Johnny Loves Rosie, Faith, Dune, Accessorize, Miss Selfridge, New Look, Ollie and Nic	Saltwater, The Jacksons, Whistles, Princess Tam Tam, Paule Ka, Paul and Joe, French Connection, Amanda + Odi, Cacharel **Accessoires** Inside Out, Ollie and Nic, French Connection, The Jacksons, Whistles	Anya Hindmarch, Sybil Stanislaus @ Ajanta, Melissa Odabash, Missoni, Pucci, Heidi Klein, Chloé, Gharani Strok, Allegra Hicks, Liza Bruce, Lara Bohnic, Louis Vuitton, Damaris, Juicy Couture, Betty Jackson, Ann Louise Roswald, Rachel Robarts, Coco De Mer **Accessoires** Jade Jagger, Silhouette, Anya Hindmarch

7 winkelen zomervakantie/na het zonnen

	€	€€	€€€
elegant	Monsoon, Zara, H & M, Principles, Warehouse, Oasis, Designers at Debenhams **Accessoires** Zara, H & M, Dune, Faith, Office, Mikey, Accessorize, Designers at Debenhams	Whistles, French Connection, Karen Millen, Autograph @ Marks and Spencer **Accessoires** Whistles, Karen Millen, LK Bennett, Kurt Geiger, Kate Kuba, Pied à Terre	Joseph, Temperley, Missoni, Alberta Ferretti, Celine, Prada, Escada **Accessoires** Jimmy Choo, Manolo Blahnik, Gina, Sigerson Morrison, Jamin Puech
casual	Gap, H & M, Accessorize, Oasis, Warehouse, Zara, Principles, Designers at Debenhams, Topshop, New Look, East, Dorothy Perkins **Accessoires** Dune, Office, Mikey, Freedom @ Topshop, East	Whistles, French Connection, Karen Millen, Jigsaw, Autograph @ Marks & Spencer **Accessoires** L K Bennett, Pebble, Butler and Wilson	Ann Louise Roswald, Marni, Melissa Odabash, Tashia, Allegra Hicks, Rachel Robarts, Liza Bruce, Vanessa Bruno, Rozae Nichols, Kenzo, The West Village **Accessoires** Anya Hindmarch, Pippa Small, Me and Ro, Erickson Beaumon
trendy	Zara, H & M, Oasis, Warehouse, Pink Soda, Designers at Debenhams, Kal Kaur Rai, Peekaboo @ Topshop, Portobello Market **Accessoires** Dune, Office, Faith Freedom @ Topshop, Accessorise, Mikey	French Connection, Miliana T, Karen Millen, Jigsaw, Coast, Whistles, Cacharel **Accessoires** Pebble, Lola Rose, Jigsaw, LK Bennett, Russell & Bromley	Temperley, Missoni, Miu Miu, Gharani Strok, Boyd, Pucci, Roberto Cavalli, Celine, Marni, Liza Bruce, Sybil Stanislaus **Accessoires** Christian Louboutin, Gina, J Maskrey, Sigerson Morrison, Chloé, Me and Ro, Pippa Small, Erikson Beamon

- **Probeer je wimpers te laten verven zodat je niet op een panda lijkt wanneer je in het water zit**
- **Als je een zelfbruiner wilt gebruiken, breng die dan een paar dagen van tevoren aan, zodat je tijd hebt om hem te verwijderen als je ziet dat het een streperige bedoening is geworden**
- **Vergeet niet je tenen te harsen, als je een harige meid bent (zoals Trinny), en ook je navel (als je haar donker is en zich verspreidt)**
- **Als je een zonaanbidster bent, gebruik dan, vóór je gaat, een goede peeling om alle dode huidcellen te verwijderen die een prachtige egale bruine teint in de weg zouden staan**
- **Als je je haar laat verven, doe dit dan minstens een week tevoren om een te drastische overbelasting door zon, zee en chloor te vermijden**

- **Als je snel verbrandt, pak dan geen rood of roze in, omdat die kleuren alleen maar je gebrek aan kennis van beschermingsfactoren zichtbaar maken**
- **Hevel je favoriete luxespullen over in kleine plastic potjes zodat je nog meer schoonheidsproducten in je koffer kan stoppen**
- **Voeg wat muggenolie aan je aftersun toe zodat je nooit vergeet je ermee in te smeren wanneer de kans bestaat dat je gebeten wordt**
- **Laat het ontharen met hars minstens een paar dagen tevoren doen, zodat je huid tijd heeft om te kalmeren**
- **Maak, wanneer je thuiskomt, een lijst van alle dingen die je niet hebt gedragen en neem ze de volgende keer niet meer mee, als het klimaat en de omstandigheden hetzelfde zijn**

wintervakantie Degenen van jullie die al jaar in jaar uit skiën hebben ongetwijfeld van de netelige kwestie wat je op en buiten de piste moet dragen een schone kunst gemaakt. In plaats van te reizen met 35 koffers beperken jullie je uitrusting tot een handige reistas en één stuk handbagage. Jullie zullen wel weten wát je bij wélk traject van de afdaling moet aanhebben. Jullie laten je niet door een als Frans Klammer ingesnoerde beginner voor de gek houden, omdat de combinatie van professionele kleding en onzekere 'ploeg' haar er belachelijk laat uitzien en niet als, tja... een beginner. Als je evenwel de trucs nog niet kent zul je snel ontdekken dat het samenstellen van een ski-uitrusting met wetenschappelijke precisie moet gebeuren. Het heeft geen zin een hoop dikke wollen spullen in te pakken en je favoriete zwarte jurkje erbij te proppen. Je moet nadenken over de ijzige temperaturen, riskante wandelomstandigheden en hoe diep je decolleté in een skiclub mag zijn. Je moet rekening houden met je gebrek aan bekwaamheid als skiër. Wanneer je pas begint breng je misschien meer tijd op de grond door dan op je ski's. Daarom kan een isolerend skipak dat de sneeuw niet laat binnendringen als je valt, een godsgeschenk zijn.

winter-vakantie

8

op de piste/prof

Strakke broeken zijn alleen geschikt voor skiën in de lente

Een kort nauwsluitend jasje doet misschien je benen langer lijken, maar houdt je absoluut niet warm

Een outfit die te strak is voor energieke bewegingen

wat het over je zegt

'Ik ben een fantastische skiër, heb een verbazingwekkend figuur en op de piste komt niemand in m'n buurt – eigenlijk heb ik het vooral koud en voel ik me heel ongemakkelijk.'

op de piste/prof

Het jasje is wijd genoeg voor avontuurlijk skiën, maar niet te volumineus

De lichtgewicht broek is warm en toch waterdicht

De outfit is praktisch en gemakkelijk – precies wat een skiër nodig heeft

De skibril is het beste niet-beslaande model op de markt

wat het over je zegt

'Ik weet wat ik doe. Ik ben geen opzichtige sukkel. Mijn stijl blijkt uit mijn foutloze slalom en dus zal ik er op de piste altijd goed uitzien, wat ik ook draag.'

op de piste/beginner

Een spijkerbroek bespaart misschien geld, maar je zult na het skiën in doorweekte kleren voorgoed worden afgeschreven

Een geinige muts maakt het voor je instructeur misschien wel gemakkelijker je te vinden, maar je zult er op de piste het mikpunt van spot mee zijn

wat het over je zegt

'Ik ben 'n nietsnut die waarschijnlijk niet bij de lessen komt opdagen omdat ik 'n kater zal hebben. Als ik wél kom zal ik een beetje stuntelen, wat eerst nog grappig is, maar daarna iedereen op de zenuwen gaat werken.'

op de piste/beginner

Wanneer je nog moet leren skiën is een pak uit één stuk het comfortabelst. Er zal geen sneeuw binnendringen en als je het te warm krijgt, kun je met de rits aan de voorkant de toevoer van koele lucht regelen

Donkere kleuren maken dat je zelfs in een sneeuwstorm te zien bent

De muts is warm en traditioneel

wat het over je zegt

'Ik wil echt leren skiën. Ik heb dit pak geleend omdat ik erachter wil komen of ik het wel leuk vind om kip voorover een berg af te suizen vóór ik met geld ga smijten voor 'n eigen pak.'

op de piste/poseur

Een poseur wil eruitzien zoals volgens haar een prof er uit zou zien als die de tijd had daarover na te denken

Breng áls je eenmaal kunt skiën het pastelkleurige pak uit één stuk naar de tweedehandswinkel

De stof bolt op en maakt het achterste twee keer zo dik

wat het over je zegt

'Ik ben hier alleen maar om gezien te worden. Het enige ijs waar ik ooit mee in aanraking kom is dat in mijn mineraalwater.'

op de piste/ poseur

De markante zwarte strepen geven je het uiterlijk van een prof met stijl

Het jack maakt dat het pak eruitziet als een tweedelig pak maar het biedt bescherming doordat er geen kier in het midden zit, mocht je vallen na je lunch met veel drank

De stof sluit op alle juiste plekken aan

wat het over je zegt

'Ik ben een mooi-weer-skiër en ben daar trots op. Neem me zoals ik ben, dan zul je van me houden of me haten. Als dat laatste het geval is, zul je m'n vakantie niet bederven.'

après-ski

'S Avonds zal het altijd vriezen, dus zelfs een bonthesje kan niet zonder iets eronder worden gedragen

Je bent bergen aan het beklimmen, niet de maatschappelijke ladder

Het haar overdreven opsteken moet je maar in de stad doen, niet hier

8 wintervakantie elegant

wat het over je zegt

'Ik voel me meer thuis in Engelse landhuizen dan in wintersportplaatsen. Ik dacht dat ik iets warms moest aantrekken… en toen bedacht ik me.'

après-ski

Hou je maar niet bezig met sieraden omdat ze altijd te veel zullen zijn

Winterwit is het toppunt van elegantie in de bergen

Loshangend haar voorkomt bevroren oren

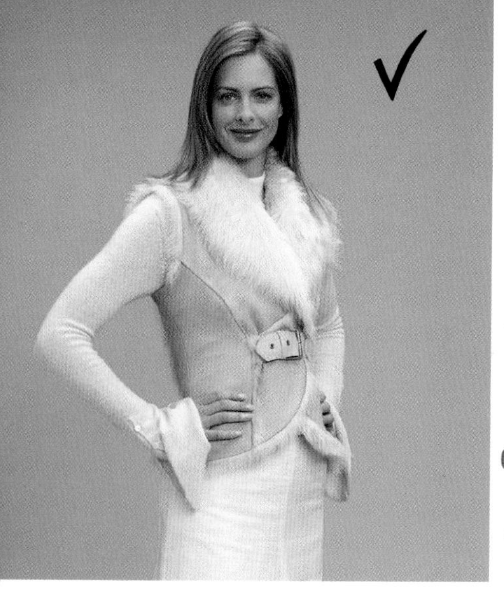

wat het over je zegt

'Ik heb een geweldige dag op de piste gehad en ga van de avond iets even geweldigs maken. Ik weet hoe ik er fantastisch kan uitzien én het tegelijkertijd lekker warm kan hebben.'

après-ski

Zelfs wanneer je de hele avond binnenblijft, zul je je door je deprimerende kleding een zielepiet voelen

Geen enkele vrouw mag zich in een mannensweatshirt vertonen, al is dit het laatste kledingstuk op aarde

Prima schoenen, maar verknald door de manier waarop de sokken worden gedragen

wat het over je zegt

'Ik wil voor niemand aantrekkelijk zijn. Ik ben de omgang met mensen niet waard en zou in een kast onder de trap moeten worden weggeborgen.'

après-ski

Joggingbroeken zijn in alle modellen en maten te krijgen – neem er dus een die wat wijder zit

Doorbreek het vlak van een bijpassende top en broek met een langer hemd eronder. Dat doet minder denken aan sintelbanen en sportvelden

Precies de dingen die je na een lange dag sporten wilt dragen

wat het over je zegt

'Jonge jonge, ik heb echt een vermoeiende dag off-piste gehad. De sneeuw was fantastisch. Dit is natuurlijk geouwehoer, maar niemand zal dat weten omdat mijn uitgekiende burgerkloffie me typeert als "atletisch".'

après-ski

Door je in een wintersportplaats volgens de laatste mode te kleden zal duidelijk zijn dat je een beginner bent

Met heel hoge hakken worden alle wegen ijsbanen

Een minirok zonder kousen ziet er bij zulk koud weer gewoonweg belachelijk uit

wat het over je zegt

'Ik ben nog nooit eerder op wintersport geweest en ik ben te stom om te beseffen dat de kleren die ik thuis in m'n stamkroeg draag hier niet praktisch of passend zijn.'

après-ski

Een spijkerbroek is de beste basic om op te vertrouwen

Pullovers kunnen er heel sexy uitzien als ze nauwsluitend en diep uitgesneden zijn

Een lange sjaal houdt je nek warm en ziet er cool uit

De laarzen zijn zo goed als plat, maar niet al te plomp

wat het over je zegt

'Kom op, laten we 'n paar glaasjes schnaps drinken, gaan dansen en op tijd opstaan om de hele dag te kunnen skiën. Ja, ik ben 'n meid die plezier maken en serieus skiën in evenwicht weet te houden.'

	€	€€	€€€
prof	Marks & Spencer, Lillywhites, Topshop, Zara, Designers at Debenhams, Mango, H & M, Miss Selfridge, River Island **Accessoires** Freedom @ Topshop, Accessorize, Zara, Office, River Island	Billabong, Rip Curl, O'Neills, Quiksilver, Patagonia, Arcteryx, North Face, John Smedley, French Connection, Hobbs, Jigsaw, Karen Millen, Reiss, Uth **Accessoires** Hobbs, LK Bennett, Jigsaw	Prada, Heidi Klein, Joseph, Karl Donoghue, Seven, Earl, Joie, Juicy Couture, Sass and Bide, Temperley, Brora, Ralph Lauren, Plein Sud, Dries van Noten **Accessoires** Joseph, Karl Donoghue, Stephane Kélian, Sigerson Morrison
beginner	Marks & Spencer, Next Directory, H & M, Topshop, Dorothy Perkins, Oasis, Knickerbox, Toast **Accessoires** Office, Dune	Killy, Snow + Rock, Lillywhites, Oakley, Killer Loop, Sweaty Betty, Puma, Nike, Calvin Klein Underwear, Wolford, Bodas **Accessoires** Puma, Nike	Helly Hansen, Nuala, Juicy Couture, Prada Sport, La Perla, Hogan, Tods **Accessoires** Hogan, Tods
poseur	Zara, Topshop, Warehouse, H & M, Oasis, River Island, Dorothy Perkins, Designers at Debenhams **Accessoires** Freedom @ Topshop, Zara, Accessorize	Snow + Rock, Postcard, Jigsaw, Whistles, French Connection, John Smedley, Karen Millen **Accessoires** Jigsaw, Whistles	Ralph Lauren, Escada, Chanel, Crystaux, Temperley, Joseph, Karl Donoghue, Ralph Lauren, Ann Louise Roswald, Prada, Alexander McQueen, Vivienne Westwood, Nicole Farhi, Donna Karen, Calvin Klein **Accessoires** Joseph, Karl Donoghue, Erickson Beamon

- **Als je zonnebril te groot is zullen de witte randen na een lange dag skiën je gek maken. Draag een kleinere bril, in jarendertig-stijl, die de ogen geheel omsluit maar de huid egaal laat bruinen**
- **Knip altijd je teennagels vóór je je skischoenen laat aanmeten. Van de druk die je tijdens het skiën op de nagels uitoefent kunnen ze uitvallen**
- **Bij het skiën in de ijzige kou kun je veel beter meerdere laagjes dan dikke kleren dragen. Laagjes zorgen voor meer plekken waar je lichaamswarmte wordt vast gehouden**
- **Als je een slechte bloedcirculatie hebt, neem dan handen- en voetenwarmers mee – verkrijgbaar bij elke wintersportzaak**
- **Een voetmassage 's avonds stimuleert vermoeide spieren**
- **Zorg dat je altijd toiletpapier bij je hebt, omdat het er in veel wc's niet is**
- **Wrijf je royaal in met zonnebrandmiddel. Van winterzon en -wind kun je behoorlijk verbranden**

feesten Om van een feest te genieten is zowel van belang dat je je goed voelt omdat je weet dat je er goddelijk uitziet, als wie je gezelschap is en hoeveel alcohol er wordt gedronken. Het voornaamste is te vergeten wie er zullen zijn en je erop te concentreren wat voor evenement het is waarvoor je bent uitgenodigd. Houd je aan dat wat je goed staat en bedenk hoe sjiek je er wilt uitzien. Als je je van de massa wilt onderscheiden hoef je je alleen maar ietsje te opzichtig te kleden. Dit betekent niet dat je de verkleedkist van de kinderen moet plunderen. We denken eerder aan glamour. Omdat een feestje in de tuin wordt gegeven en het eten boven een open vuur wordt bereid, hoef je er nog niet stijlloos uit te zien. Trek gewoon jeans aan en krik dan je sex-appeal op. Door een subtiel decolleté of een stukje blote buik zul je al in het middelpunt van de belangstelling staan. Eruitzien alsof je op een filmpremière of een galabal bent geboren geeft je uitstraling. Te veel je best doen, voorspelbaar zijn ('zo ziet ze er altijd uit') of helemaal geen moeite doen zijn voor de hand liggende fouten, én afknappers. Richt je op je sterke punten, blijf trouw aan je eigen smaak en onthoud dat verhulde erotiek beter is dan overexposure. Je zult er geweldig uitzien. Amuseer je!

feesten

9

winter

De keuze voor fluweel maakt enkel een uitje in de winter mogelijk

Een verenboa kan écht alleen maar voor danseressen van de Moulin Rouge of een gekostumeerd bal

Lange zwarte handschoenen laten zien dat je ofwel afgekloven nagels hebt ofwel in een ander tijdperk leeft

9 feesten elegant

wat het over je zegt

'Ik ben een luidruchtige uitslover die je trommelvlies opblaast en met haar bokkensprongen de dansvloer leegmaakt.'

winter

Satijn is een van de comfortabelste – maar sexy – stoffen voor 's avonds

Met het jasje krijgt een eenvoudige jurk glamour en is een outfit beter aan te passen

De schoenen zijn elegant doch onopvallend. Bij een avondjurk dienen schoenen te worden gezien, maar niet gehoord

wat het over je zegt

'Ik hoef niet met mijn borsten en meters been te pronken om er sexy uit te zien. Ik weet dat een sobere nauwsluitende jurk veel intrigerender kan zijn.'

winter

Al te opgedirkt zijn op je eigen dineetje kan de gasten afschrikken en hun het gevoel geven dat zij eigenlijk in de keuken thuishoren

Thuis op wiebelende hakjes lopen ziet eruit of je er elk moment vandoor wilt gaan

wat het over je zegt

'Ik voel me niet zo op m'n gemak als gastvrouw en het zal zowel voor mij als voor jullie wel een moeizame avond worden.'

winter

Een prachtige rok met een eenvoudige top ziet er elegant, maar toch ongedwongen uit

De schoenen kunnen diabolohakjes of platte hakken hebben of uitgeschopt worden

Een lange rok of een wijde broek zit gemakkelijk en is bestand tegen lui liggen

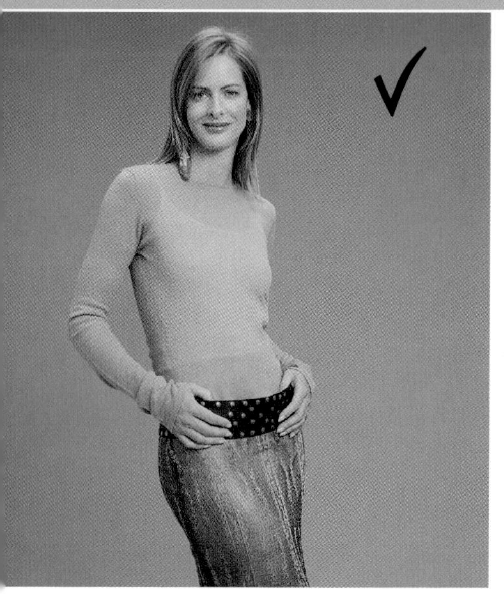

wat het over je zegt

'Ik voel me behaaglijk én zie er goed uit, dus kan ik me ontspannen amuseren met vrienden zonder me er druk om te maken of mijn kleren kreuken.'

winter

Stadskleren moeten niet overdreven versierd zijn – niet te veel jabots en ruches

Zwart en wit zal de gasten ertoe brengen je steeds maar weer om een drankje te vragen

Als je krulspelden in je haar zet, vergeet dan niet het naderhand uit te borstelen

wat het over je zegt

'Ik heb me opgedirkt omdat ik geen enkele uitstraling heb en geen gesprek kan voeren. Waarschijnlijk moet ik om de vijf minuten naar de wc rennen om te kijken of mijn frutsels en krullen nog goed zitten.'

winter

Met zwart ga je nooit in de fout als het je staat, en als dat niet zo is, houd het dan zo ver mogelijk van je gezicht

Eenvoudige elegantie spreekt boekdelen

Zorg ervoor dat de hakken niet te hoog zijn voor een evenement waarbij de genodigden staan

wat het over je zegt

'Mijn kleding is sober, maar elegant en ik weet zeker dat ik er prima en toch niet té formeel uitzie. Geen opsmuk – alleen maar perfectie.'

zomer

Overdreven geglinster compenseert niet het feit dat je in het kort bent als je bent uitgenodigd voor een feest in het lang

Wees voorzichtig met pailletten omdat ze sterk vergrotend kunnen werken

Ze kunnen ook heel ordinair zijn als het er te veel zijn

wat het over je zegt

'Ik heb geen lange jurk, dus als ik iets straks en opzichtigs aantrek, zal iedereen zó bewonderend naar mijn kont kijken dat ze niet zien dat ik niet correct gekleed ben.'

zomer

Lange kleding is altijd elegant en flatterend

Een eenvoudige jurk is gemakkelijk aan te passen aan de aard van de gelegenheid

Versier of versober de jurk met accessoires

wat het over je zegt

'Ik hoef me niet met glitter te overdekken. Mijn jurk kan dan wel simpel zijn, maar de sjaal is een blikvanger en ik weet hem met zwier te dragen.'

zomer

Wit bij een barbecue mag dan wel aan de 'Great Gatsby' doen denken, maar is totaal onpraktisch

Hoge hakken zullen in het gras weg-zakken

Wanneer je als bij een picknick op de grond zit, zal je slipje te zien zijn

De hoed is iets te veel van het goede

wat het over je zegt

'Ik houd niet zo van het buitenleven en ik ben bang dat er modder op m'n schoenen komt, dus ik denk niet dat ik het hier leuk zal vinden of erg lang zal blijven.'

zomer

Jeans zijn prima voor buiten, want ze kunnen tegen een stootje

De top zou wel eens het enige kunnen zijn wat er te zien is als er veel gasten zijn, zorg dus dat het een mooie is

Gemak is net zo'n bepalende factor als stijl

wat het over je zegt

'Ik weet hoe ik er sexy kan uitzien, maar ik zal toch een handje meehelpen bij de barbecue. En als ik ketchup op m'n broek krijg… wat zou dat!'

zomer

Maak jezelf niet wijs dat kort hetzelfde is als sexy

Kinderlijke kapsels zijn prima... voor kinderen

Draag geen trendy kleding als die je niet staat – je zult eerder het mikpunt van spot op het feest zijn dan benijd worden door je medegasten

wat het over je zegt

'In mijn hart ben ik gewoon 'n meisje, dus als ik meisjeskleren draag zal het niemand opvallen dat ik, nou ja... een beetje ouder ben geworden.'

zomer

Als er geen trendy look is waarin je je prettig voelt, kies dan de kleuren en stoffen die in zijn

Het is gemakkelijker om door afzonderlijke kledingstukken te combineren er goed en hip uit te zien

Afzonderlijke kledingstukken zijn handiger omdat ze met andere dingen kunnen worden gedragen

wat het over je zegt

'Het lukt me altijd er hypermodern uit te zien, maar wel op mijn eigen manier. Met zorg uitgekozen losse kledingstukken zijn de ruggengraat van mijn garderobe.'

	€	€€	€€€
elegant	Zara, Monsoon, Topshop, Warehouse, H & M, Oasis, Designers at Debenhams, Mango **Accessoires** Faith, Accessorize, Freedom @ Topshop, Bertie, Office, Dune, Designers at Debenhams, Mango	Karen Millen, LK Bennett, Jigsaw, Press & Bastyan, French Connection, Miliana T **Accessoires** Karen Millen, LK Bennett, Pied à Terre, Kurt Geiger, Butler and Wilson, Agatha	Elspeth Gibson, Ben di Lisi, Temperley, Ralph Lauren, Calvin Klein, Alberta Ferretti, Gucci, Prada, Vivienne Westwood, Jean Paul Gaultier, Collette Dinnigan, Armani, John Galliano, Alexander McQueen, Valentino **Accessoires** Gina, Gucci, Prada, Jimmy Choo, Manolo Blahnik, Judith Leiber, Jamin Puech
casual	Zara, Monsoon, H & M, Warehouse, Designers at Debenhams, Principles, Dorothy Perkins, Mango **Accessoires** Accessorize, Designers at Debenhams, Office, Faith, Dune, Freedom @ Topshop, Claire's Accessories	Jigsaw, Whistles, Karen Millen, Reiss, Uth, John Smedley, Michael Stars, Sara Berman, From Somewhere **Accessoires** Jigsaw, Karen Millen, Pied à Terre, LK Bennett, Post Mistress	Marni, Temperley, Chloé, CXD, Brora, Ann Louise Roswald, Rozae Nichols, Ghost **Accessoires** Marni, Sigerson Morrison, Stephane Kélian
trendy	Zara, Monsoon, Accessorize, H & M, Warehouse, Oasis, Topshop **Accessoires** Zara, Accessorize, H & M, Warehouse, Designers at Debenhams, Office, Faith, Dune, Oasis, Topshop, Mikey	Jigsaw, Karen Millen, Coast, French Connection **Accessoires** Butler and Wilson, Agatha, LK Bennett, Kurt Geiger, Jigsaw, Coast, Post Mistress	Prada, Dolce and Gabbana, Roberto Cavalli, Temperley, Blumarine, Matthew Williamson, Chloé, Collette Dinnigan, Boyd, Virginia, Steinberg and Tolkien **Accessoires** Sigerson Morrison, Gina, Jimmy Choo, Christian Louboutin, Jamin Puech, Erickson Beamon

9 winkelen feesten/zomer

	€	€€	€€€
elegant	Zara, Monsoon, Topshop, Warehouse, Oasis, H & M, Designers at Debenhams **Accessoires** Mikey, Freedom @ Topshop, Zara, Faith, Accessorize, Bertie	Karen Millen, Jigsaw, Press & Bastyan, French Connection, Holly, Whistles **Accessoires** LK Bennett, Press & Bastyan, Pied à Terre, Kurt Geiger, Butler and Wilson, Agatha	Elspeth Gibson, Ben di Lisi, Temperley, Gina, Alberta Ferretti, Gucci, Prada, Armani, Vivienne Westwood, John Galliano **Accessoires** Gina, Gucci, Prada, Jimmy Choo, Manolo Blahnik, Judith Leiber, Valentino, Erickson Beamon
casual	Topshop, Warehouse, Oasis, Gap, H & M, Zara, Miss Selfridge, Monsoon, Designers at Debenhams, Mango, Principles, River Island, Kookai, Morgan, Pink Soda **Accessoires** Accessorize, Unique, Freedom @ Topshop	Whistles, French Connection, Studd, Saltwater, Tata Naka, Miliana T, French Connection, Holly, Martin Kidman, Shirin Guild, Jigsaw **Accessoires** Whistles, Karen Millen, LK Bennett, Pied à Terre, Pebble, Urban Outfitters	Betsy Johnson, Cacharel, House of Jazz, Marni, Temperley, Seven, Sass and Bide, Paper Denim Cloth, Joie, Marc Jacobs, Sybil Slanislaus, Dosa **Accessoires** Sigerson Morrison, Scorah Patullo, Pippa Small, Me and Ro, Zilo, Erickson Beamon
trendy	Monsoon, Oasis, H & M, Zara, Topshop, Designers at Debenhams, Warehouse, New Look, Office, Dune, Pink Soda, Kal Kaur Rai **Accessoires** Faith, Oasis, H & M, Zara, Office, Dune	Miliana T, Whistles, French Connection, Reiss, Michael Stars, Holly **Accessoires** Pied à Terre, Whistles, Post Mistress, Lola Rose, Agatha, Butler and Wilson, Pebble	Virginia, Joseph, Narcisco Rodriguez, Louis Vuitton, Missoni, Megan Park, Marc Jacobs, Fendi, Etro, Blumarine, Temperley **Accessoires** Christian Louboutin, Sigerson Morrison, Louis Vuitton, Pippa Small, Me and Ro

- **Zorg dat alle make-up die je nodig hebt in een avondtasje past. Slijp bijvoorbeeld potloden tot ze klein zijn – geen verspilling: je verliest ze altijd vóór ze op zijn – en doe losse poeder in een kleine poederdoos**
- **Als je een lange nacht voor de boeg hebt, gebruik dan een make-upprimer onder je foundation**
- **Neem geen tas mee die zo groot is dat je de hele avond eromheen moet dansen**
- **Als je elegante avondkleding draagt, bederf het dan niet door een horloge voor overdag te dragen**

- **Bedenk of je het de hele avond op je schoenen uithoudt. Word je waarschijnlijk ongesteld? Neem tampons mee**
- **Als je erop rekent dronken te worden, denk dan na over de hoogte van je hakken – en over vallen**
- **Eet een paar amandelen om een lege maag te vullen als je vóór een dineetje veel gaat drinken. Pepermuntjes voor een sexy tongzoen**
- **Ga je in de winter naar een belangrijk evenement, neem dan een sjaal mee in plaats van een dikke jas, zodat je niet in de rij bij de garderobe hoeft te staan als je komt en gaat**
- **Zorg dat je genoeg geld voor een taxi hebt voor het geval dat niet alles volgens plan verloopt**

ondergoed Weten jullie dat driekwart van jullie een beha draagt die de verkeerde maat heeft? Kijk omlaag. Geven je borsten je te kennen dat ze willen ontsnappen? Glippen ze weg over de bovenrand van het kant? Draai je om. Zie je hoe je behabandjes groeven in je rug maken en heb je het gevoel dat er een straatverbod is opgelegd aan je borsten? Zie je, als je omlaag blijft kijken, door je T-shirt heen de contouren van mooi kant? Of erger nog, schemert het sexy zwarte kant grijs door een lichtgekleurd truitje heen? Mmm. Nu wordt het tijd om 'ns op te staan en in een manshoge spiegel naar je achterste te kijken. Hoeveel billen zie je? Twee of vier? Zou een toeschouwer kunnen weten dat je liever een slipje dan een string draagt? En nu we het over strings hebben, wordt een vrij lelijke versleten Y boven de band zichtbaar wanneer je je vooroverbuigt om een speeltje of kind op te rapen? Draai zijwaarts. Hoe ziet je buik eruit? Op het punt om een nest jongen te baren of als iets deegachtigs in gisting? Wanneer iets van wat hierboven staat betrekking heeft op jouw in kleren gehulde anatomie, doe er dan onmiddellijk iets aan. Wat heeft het voor zin om tijd en moeite aan een cool uiterlijk te besteden, wanneer je ondergoed afgrijselijk is?

onder-
goed

10

probleem/slappe buik

Vraag aan alle vrouwen, behalve de platbuikige zonderlingen, wat zij het afschuwelijkst aan hun lichaam vinden en ze zullen eenstemmig roepen: ‘m’n verdomde buik’. Een slappe buik is de onvolmaaktheid die vrouwen het meest haten

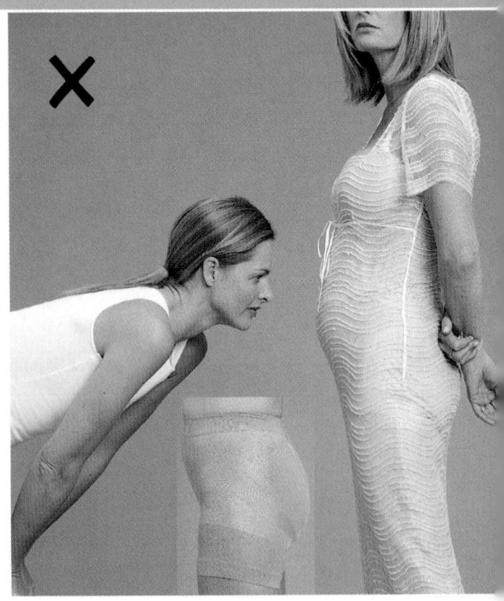

wat is het probleem?

‘De buik is een plek waaraan na het krijgen van kinderen geen vorm meer is te geven. Als je geen toevlucht wilt zoeken tot chirurgie, adviseren we het gebruik van radicaal ondergoed.

oplossing

Toverbroekjes zorgen voor zachte vloeiende lijnen waardoor je nauwsluitende kleren kunt dragen die je misschien wel jarenlang uit je leven hebt gebannen

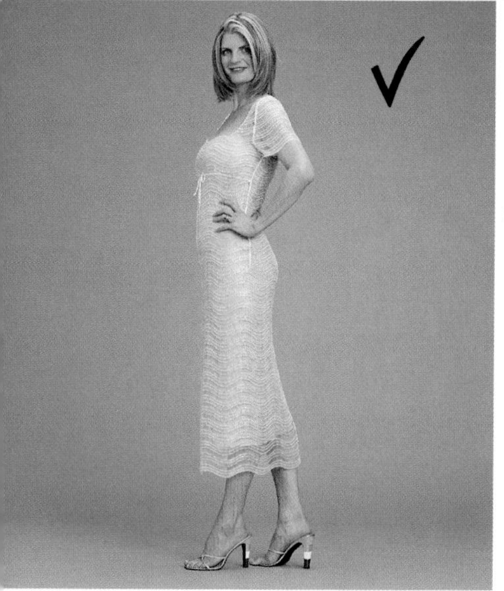

wat doe je eraan?

'Draag toverbroekjes. Ze laten vetophopingen misschien niet helemaal verdwijnen, maar ze maken slap vlees stevig en wiebelvrij, en strijken de buik meteen glad.'

probleem/ zichtbare g-string

Je hebt geen idee van het effect dat je string kan hebben wanneer je vooroverbuigt of neerhurkt of wanneer je jeans van je heupen glijden'

wat is het probleem?

'Zichtbare strings zijn alleen maar een probleem voor degenen die gek zijn op heupbroeken en een lage tailleband. Maar we willen je wel even vertellen dat een smerige, versleten kaassnijder er niet fraai uitziet.'

oplossing

Als je per se met je slipje wilt pronken, zorg dan dat het 't bekijken waard is en dat is een kaal driehoekje van groezelig nylon niet

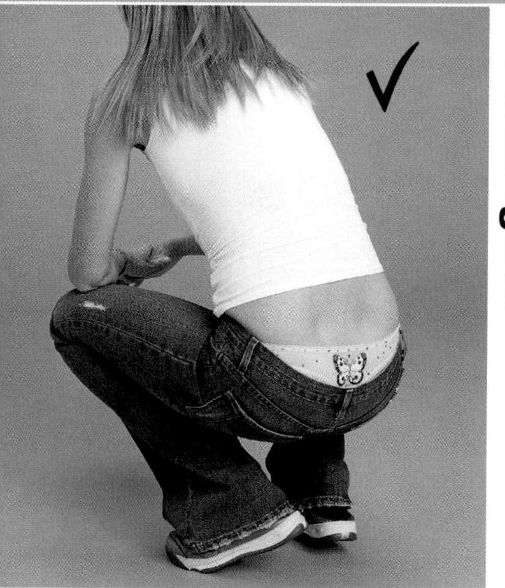

wat doe je eraan?

'Gelukkig zijn er mensen die zich om ons achterste bekommeren. Deze Bewakers van het Achterwerk hebben ons verrast met mooi versierde strings, bezaaid met vlinders, pailletten en dergelijke.

probleem/ verkeerde beha

Het kan dat je stapelgek bent op je kanten beha en hij heeft misschien wel kapitalen gekost

Dit betekent nog niet dat je hem overal bij moet dragen of dat anderen hem mooi vinden

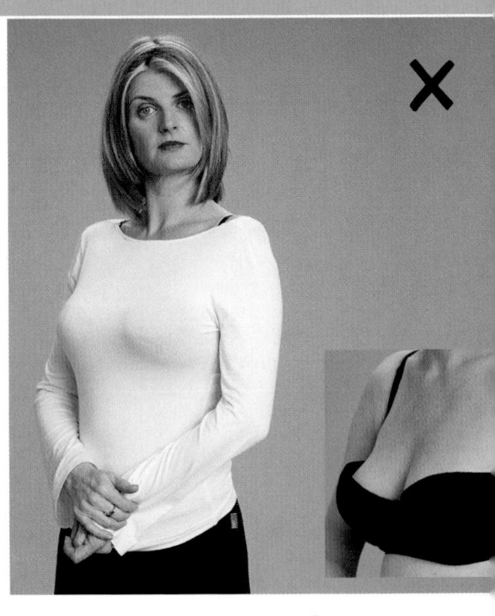

wat is het probleem?

'De verkeerde beha kan je lichtgekleurde of strakke tops verknallen. Het is zonde de gelegenheid om sierlijke lijnen te tonen met een zwarte of te druk versierde beha te bederven.'

oplossing

Alle goede lingeriefabrikanten maken vleeskleurige naadloze beha's en dát is wat je zoekt. Ze doen je er gestroomlijnd en natuurlijk uitzien

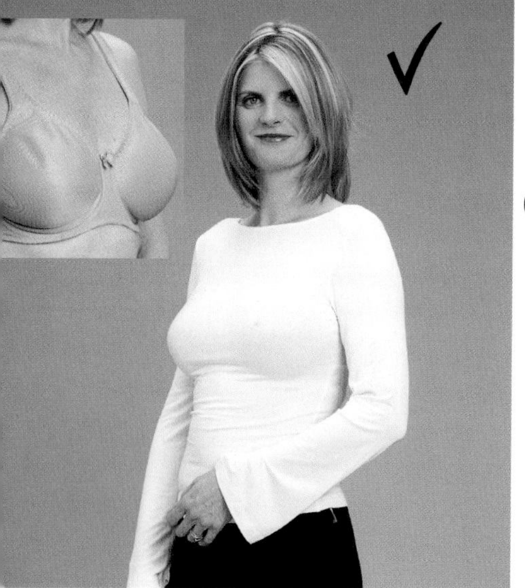

wat doe je eraan?

'Zorg dat je beha fatsoenlijk past zodat je borsten niet uitpuilen en de bandjes zich niet in de schouders of rug ingraven.'

	€	€€	€€€
sexy	Topshop, H & M, Miss Selfridge, Zara, Pretty Polly	Cosabella, Wild Hearts @ Marks and Spencer, Elle MacPherson Intimates, Love Kylie, Calvin Klein, Fantasie	Damaris, Agent Provocateur, La Perla, Myla, Sabia Rosa, Collette Dinnigan, Donna Karan
natuurlijk	Maidenform @ Debenhams, Gap Body, Marks & Spencer, Next, Presence at Debenhams, H & M, Knickerbox	Bodas, Lejaby, Chantelle, Warners, Wolford, DKNY, Freya, Charnos, Elle MacPherson, Bodas, Jigsaw, Calvin Klein	Magic Knickers, La Perla, Rigby and Pellar, La Perla, Hanro

10 winkelen ondergoed

10 ondergoed tips

- **Zorg er altijd voor dat alles goed onthaard is**
- **Als je een strakke broek draagt, doe dan geen bikinislip aan**
- **Bridget Jones-onderbroeken geven je geen sex-appeal, maar toverbroekjes zullen je buikje binnenboord houden**
- **Borsten kunnen van maat veranderen. Houd in de gaten welke maat je hebt en schaf een beha aan die past**
- **Als je platte borsten hebt, maar toch een vleeskleurige beha onder een krappe outfit wilt dragen, knip dan een vleeskleurige panty boven het inzetstuk af, maak er een band van en trek die aan als beha**
- **Doe geen nylon kniekousen aan als je een kuitlange rok draagt – ze zullen te zien zijn**
- **Als je 's avonds met blote benen wilt uitgaan, draag dan overdag geen nylon kniekousen omdat de striemen zichtbaar blijven**
- **Als je sandalen met kousen draagt, zorg er dan voor dat de teen naadloos is**
- **Was een beugelbeha niet in de wasmachine**

aantekeningen

aantekeningen

dankwoord

Susan en Jinny voor hun geduld, inspiratie en vertrouwen in ons.

Michael en Ed die zonder elkaar noch ons noch het boek zouden kunnen hebben.

Charlotte omdat ze het beste maakt van een verouderingsproces.

Lucy omdat ze nooit nee zegt.

Pookie omdat ze het begrip werkervaring op een nieuw niveau brengt.

Zelda en Christiana voor het uitkammen van onze zorgen en ons haar.

Robin en Aitkin voor het redelijk presentabel maken van twee oude wijven.

David omdat hij even geweldig anaal is als Trinny.